Batidos verdes

Batidos verdes

Carla Zaplana

Smoothies, zumos verdes, leXes vegetales y recetas con pulpa

COOKED
- BY URANO -

Argentina - Chile - Colombia
España - Estados Unidos - México
Perú - Uruguay - Venezuela

Sumario

¡Y LA REVOLUCIÓN VERDE SIGUE!
7

ZUMOS VERSUS BATIDOS VERDES
12

TODO LO QUE DEBES SABER SOBRE LOS BATIDOS
18

ELABORACIÓN DE LOS BATIDOS
25

RECETAS
29

BATIDOS VERDES 29
ZUMOS VERDES 90
LEXES VEGETALES 110
RECETAS CON PULPA 112

TRES DÍAS PARA RENOVARTE
122

AGRADECIMIENTOS
126

¡Y la revolución verde sigue!

Después del libro *Zumos verdes* me quedé con muchos temas en el tintero por compartir contigo. Estoy inmensamente agradecida de su acogida, no por sus ventas, sino por lo que esto significa. ¡Estamos despertando conciencia de salud! Cada vez somos más los que queremos probar, los que buscamos alternativas para sanar nuestro cuerpo, para sentirnos mejor, para reencontrarnos con nosotros mismos... fuera de la medicina convencional, lejos de tomar una píldora como remedio de incomodidades. Somos cada vez más los que buscamos una medicina más tradicional, más milenaria si cabe, aquella que ha existido toda la vida y que desde su origen ha tenido la intención de curarnos, nutrirnos, mimarnos y hacernos vibrar. La medicina tradicional que usa alimentos naturales que tienen sabor, que limpian la mente y nos acarician el alma.

Dicho esto, no quisiera posicionarme en contra de la medicina occidental, pues gracias a ella hemos podido avanzar y superar muchos males y epidemias en los últimos siglos, aunque sí me gustaría remarcar que muchas de las enfermedades que hoy en día vive la sociedad pueden prevenirse, pueden disminuirse sus síntomas o incluso curarse con solamente seguir unos buenos hábitos alimentarios. De este modo, proporcionamos al cuerpo las herramientas necesarias para que él mismo, solito, pueda sanarse, ayudándolo a limpiar sus órganos depurativos para que puedan eliminar toxinas, virus y otros intrusos que pueden enfermar o sobrecargar nuestro cuerpo. Seguir una alimentación limpia, «comer limpio», te ayudará a que así sea. Dentro de este estilo de vida, esta filosofía de la alimentación que practico, que comparto en mis redes y con la que guío a todos mis pacientes, lo logramos siguiendo una alimentación abundante en vegetales y eliminando del plato aquellos «alimentos» que no son tan fáciles de digerir y que, por lo tanto, sobrecargan el organismo. Evitamos ingredientes artificiales o tóxicos para el cuerpo o, incluso, alimentos que pueden provocar irritación o hipersensibilidad. Pero antes de adentrarme más en esta filosofía, seguiré compartiendo contigo la herramienta principal que me ayudó a realizar el cambio y que ha ayudado a tantos de nosotros a sentirnos mucho mejor, a recuperar energía y a reencontrar nuestro propósito: esta herramienta no es otra que los **zumos** y (en este caso) los **batidos verdes**.

Cuando hablo en un tono más holístico o incluso «más espiritual» (como algunos lo definirían), lo hago para remarcar precisamente la premisa de que somos, desde todos los puntos de vista de la expresión, lo que comemos. Y tan cierta es la frase como literal es el cambio que experimentamos. Cuando limpiamos nuestra alimentación, nos quitamos sacos de toxinas de encima. Cuando en nuestro plato solo hay color, alimentos naturales, frescos y con una energía armoniosa, estos nos nutren y aportan salud en abundancia a cada una de nuestras células. Y así nos sentimos, en ABUNDANCIA. Tenemos una mente mucho más clara, nos sentimos más ágiles mental y físicamente, se despierta o dispara nuestra creatividad, nuestras ganas de comernos el mundo, de retomar un *hobby* abandonado, de curiosear entre las páginas de un libro, de probar nuevas comidas, de hacer maletas y descubrir todos los rincones del planeta. «Es como un nuevo renacer», y eso son palabras textuales de más de un paciente que llega a la consulta con la cara gris, con lágrimas en los ojos, sin esperanza o desesperado por hallar una solución, una luz que le sirva para reencontrarse, sentirse de nuevo BIEN, como TODO EL MUNDO DEBERÍA SENTIRSE. Comer limpio te hace parar, escuchar qué es lo que quieres, qué es lo que te hace sentir bien y, en definitiva, discernir qué te hace feliz. Todos queremos sentirnos sanos, sanos para disfrutar de bienestar, y ¿para qué queremos bienestar? Para ser felices, ¿verdad? ¿Ves cómo la alimentación sí puede influenciar en nuestro estado anímico, en nuestro carácter, en nuestra FELICIDAD?

O pregúntale a aquel que no puede salir de casa porque tiene alergias estacionales... O a quien padece de colon irritable y no puede moverse del baño porque tiene movimientos intestinales cada tres minutos... ¿Esto es vivir? Una alimentación limpia puede revertir estos síntomas.

¡DEJEN SALIR ANTES DE ENTRAR!

¿Por qué aconsejo tomar zumos o batidos verdes?

A raíz de la publicación de mi primer libro, *Zumos verdes*, he recibido muy buenos comentarios y experiencias de lectores y pacientes sorprendidos de la efectividad y el buen resultado que les ha dado este nuevo hábito saludable, pero también, y como pasa con todas las novedades distanciadas de lo tradicional, hay quien ha puesto en duda que los zumos o batidos verdes sean beneficiosos para nuestra salud.

Ya habrás escuchado que los zumos o batidos verdes son, principalmente, una gran fuente de micronutrientes. Micronutrientes como vitaminas, minerales, antioxidantes, enzimas activos y otros fitoelementos que son la clave para lograr un buen estado de salud. De manera muy resumida, podríamos decir que sus principales funciones son:

- Nutrir e hidratar el cuerpo.
- Limpiar y depurar el organismo.

Verás que en mis artículos, libros y charlas uso muchas expresiones y metáforas. Siempre intento hablar en un tono divulgativo, pues mi intención es llegar a cuantas más personas mejor, porque estoy convencida de que a cuantos más llegue el mensaje de salud, mejor se sentirá el mundo. No pretendo dirigirme al público como personalidad diplomada usando tecnicismos científicos que solo unos pocos pueden entender. Y para esto, ya hay otros compañeros profesionales de la salud, quienes tienen todo mi respeto, encargados de ello. Mi objetivo principal es el de poder hacer llegar el mensaje a todo el mundo; desde aquel interesado en la nutrición que ha leído todos los libros sobre el tema, hasta aquel que nunca ha visto una hoja de lechuga en su plato.

Pretendo hacerlo fácil. Si tratamos el tema de la nutrición de una forma llana, veremos que todo es mucho más sencillo de lo que parece. Prevenir enfermedades y sanar nuestro cuerpo solo es cuestión de limpiarlo y limpiarlo. Y las metáforas y comparaciones con la naturaleza o la propia vida ayudan mucho en estos casos.

«Dejen salir antes de entrar». Una vez más, mi filosofía de la alimentación es darle al cuerpo todas esas herramientas necesarias para limpiarse de partículas tóxicas y enfermedades. Para que un cuerpo esté sano, no vale con darle tan solo la mayor cantidad posible de alimentos correctos (orgánicos, naturales y de proximidad); por mucho que le demos estos nutrientes, si no tenemos un sistema digestivo en condiciones, no podremos aprovechar toda la nutrición que aportan estos magníficos alimentos. Por eso, debemos dejar salir las toxinas, la suciedad que recubre las paredes intestinales de mucosidad y no permite que se absorban bien los nutrientes. Dejemos de consumir alimentos que provocan hipersensibilidad e irritan y destruyen las vellosidades intestinales y hacen que estas no sean capaces, una vez más, de absorber correctamente todos los nutrientes... «Dejen salir antes de entrar».

Ahora bien, sí existen alimentos y bebidas que pueden aportarnos este doble efecto. Bebidas que ayudan a limpiar nuestro organismo. No solamente el sistema digestivo, sino que van más allá y nos aportan esa nutrición que asistirá en la limpieza natural del cuerpo y nutrirá cada una de nuestras células. Son los **zumos** y **batidos verdes**.

La controversia aquí está en que hay profesionales de la salud y la nutrición que indican que el cuerpo humano, de forma natural, ya tiene un sistema de depuración, y en ello estoy del todo de acuerdo. Nuestro hígado, nuestros riñones, nuestros pulmones, etc. son los encargados de filtrar nuestra sangre, nuestro aire, nuestros fluidos orgánicos para liberarlos de toxinas y eliminarlas a través de nuestras heces, orina, sudor y aliento. Este mecanismo natural de depuración se activa sobre todo durante la noche, cuando dormimos. Por eso es tan importante descansar correctamente y dormir las horas necesarias, porque es justo en esas horas cuando nuestro cuerpo se repone para empezar de cero al día siguiente. Seguro que también has escuchado que no dormir engorda... Pues bien, esto tiene que ver con estados de inflamación derivados de una sobrecarga de toxinas en el organismo.

Bien, lo que quería explicar aquí, es que, aunque este hecho sea real y verdadero, como todo filtro, los filtros de nuestro cuerpo también deben limpiarse para que funcionen a pleno rendimiento. Aquí va otra: ¿O es que no debemos cambiar los filtros del coche? ¿O limpiar los filtros de la piscina porque llega un momento en el que están llenos, ya no recogen más arena ni hojas y el agua sigue quedando sucia?

¿Qué es lo que hará la función de escoba para barrer esta suciedad de nuestros filtros vitales? Pues..., vitaminas, minerales, antioxidantes, enzimas y todos estos micronutrientes y fitoelementos que encontramos en los vegetales. Un grupo de alimentos básico y fundamental en la alimentación «come limpio». Si llevamos una alimentación abundante en ellos y eliminamos o reducimos alimentos que no hace falta mencionar, porque **todos sabemos que no nos convienen demasiado**, estaremos siguiendo una alimentación con efectos depurativos.

Ahora, antes de hacer un cambio radical en tu alimentación, te propongo, una vez más, empezar por introducir en tu rutina matutina o diaria tan solo una nueva adquisición: un zumo o batido verde. Te prometo que no habrá vuelta atrás. Verás cómo un simple nuevo hábito puede generar una transformación total en tus patrones de alimentación. Sobre este tema hablaremos más adelante, en otro libro. Por ahora te propongo tan solo este cambio, te pongo estos «deberes».

Cuidarte es algo que te debes a **ti mismo**, porque si no te cuidas tú, ¿quién va a hacerlo mejor?, ¿quién conoce mejor tu cuerpo? Tú que vives en él y que, quieras o no, te acompañará hasta el último de tus días en esta Tierra. Cuídate, hazlo por ti, por los que te quieren (¡recuerda que comer bien te mejora el humor!) y cómo no, por un mundo mejor...

Zumos versus batidos verdes

Cuando nos alimentamos, en la mayoría de las ocasiones lo primero que buscamos es el placer asociado al alimento, pero es mucho mejor si ese producto o bebida, además, contribuye a aportar un extra de salud y un efecto medicinal a nuestro cuerpo. Para mí, esto es una doble satisfacción. Aunque el aspecto de un plato no sea del todo apetecible, el simple hecho de saber que me sanará, que mimará mi organismo, es suficiente motivo para querer probarlo y aceptarlo dentro de mi alimentación diaria.

Como cuento en mi primer libro, descubrí el fascinante mundo de los zumos verdes buscando un remedio natural a mi falta de energía, a mi repentino acné, y a la sensación de sentirme hinchada. Más que el placer, lo que buscaba era una solución, un jarabe que me ayudara a sentirme mejor. Cierto es que muchos de los zumos y batidos vegetales que se comercializan tienen un sabor muy dulce o una cremosidad extrema, muchas veces debido al abuso de frutas en ellos o al hecho de agregarles edulcorantes, ¡a veces incluso azúcar refinado! Debemos alejarnos de estas opciones extremadamente dulces, cuidarnos en salud y no abusar de ellas, a menos que estemos buscando un chute de energía inmediato, como, por ejemplo, antes o durante la práctica de un deporte exigente.

En las siguientes páginas comparto recetas de zumos y batidos verdes pensando en ellos como un remedio y buscándoles un toque atractivo/adictivo para que no puedas dejar de tomarlos. O, mejor dicho, para crear un hábito y hacer que «tu alimento sea tu medicina y que tu medicina sea tu alimento» para siempre jamás.

Para empezar, quisiera recordar...

¿Qué son y por qué son tan beneficiosas para el cuerpo las bebidas vegetales?
Las bebidas que vienen directamente de frutas y vegetales frescos son, sin duda, una las opciones más saludables, tonificantes y rejuvenecedoras que podemos elegir. Tomar un vaso de un buen zumo recién exprimido es una inyección directa de nutrientes para nuestro cuerpo, un chute de vitaminas, minerales, clorofila, enzimas activos, azúcares naturales y otros fitoquímicos que mejoran la salud. Los más abundantes entre ellos son las vitaminas C, A y E, todas ellas con un potente efecto

antioxidante (combaten radicales libres) y que nos protegen contra el envejecimiento prematuro o de las células.

Estas mezclas de nutrientes nos ayudan a fortalecer nuestro sistema inmunológico, no solamente protegiéndonos de resfriados y gripes, sino de enfermedades más severas como son las alergias, el cáncer, las enfermedades cardiovasculares y las enfermedades neurodegenerativas.

Hoy en día, incluso aquellos que para nada están metidos en el mundo de la alimentación sana saben que debemos tomar «cinco al día» —refiriéndose a raciones de fruta y verdura. Lo cierto es que necesitamos el doble o más que esto, pero, para empezar, una bebida vegetal de las que estamos hablando nos aporta de media entre unas cuatro y seis raciones. Así de fácil, «glu-glu», y tenemos la mitad del trabajo hecho.

¿Es lo mismo tomar un zumo que un batido verde? ¿Cuál es mejor? ¿Cuál es la diferencia?

Vamos a entrar en detalles, y es que esta es una de las preguntas más frecuentes que recibo.

A mi cocina llegaron primero los zumos verdes, y desde entonces les he sido fiel e incondicional, y más tarde llegaron los batidos, una nueva adquisición que convive perfectamente en armonía con mi primer hábito. Ahora me preparo uno u otro indistintamente o me preparo uno y otro a lo largo del día, uno para el desayuno y otro para media tarde; todo depende de cómo me sienta y de lo que me apetezca en ese momento. Y esta creo que es la mejor actitud. Lo bueno es que en casa siempre tengo los ingredientes que necesito para lo que sea que quiera prepararme.

Hay quien usa la palabra *zumo* indistintamente para referirse a un batido o a un zumo propiamente dicho, pero la verdad es que hay diferencias entre ellos. ¿Cuál será mejor para ti? Todo dependerá de cuál sea tu objetivo, pero a continuación te presento algunas de sus diferencias principales.

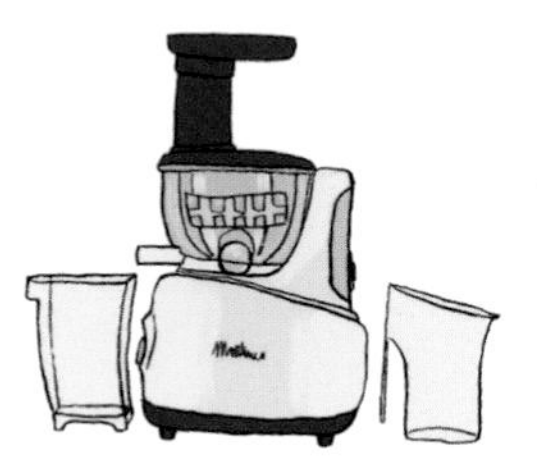

Zumos versus batidos

Zumos	Batidos
Se preparan con licuadora o Cold Press.	Se preparan con batidora.
Se extrae solo el zumo de las frutas y verduras.	Se aprovecha todo de las frutas y verduras.
Tienen una textura líquida.	Tienen una textura espesa y densa.
Son de absorción inmediata.	Requieren digestión.
Contienen nutrientes altamente absorbibles.	Tienen un alto contenido en fibra fácil de procesar en el sistema digestivo.
Aportan un alto efecto depurativo para el sistema digestivo.	La fibra ayuda a regular los niveles de azúcar y colesterol en la sangre.
Permiten usar gran cantidad de fruta y verdura en cada zumo (7-8 raciones).	Permiten usar alimentos con poco líquido (plátano, aguacate, dátiles...).
Forman parte de un desayuno.	Pueden ser un desayuno completo.

Los zumos:

- Extraen el líquido de las frutas y verduras, y son una inyección concentrada de nutrientes en la sangre en cuestión de minutos, ya que no necesitan ser digeridos como la fruta y los vegetales enteros. En diez minutos, el zumo que tenemos en el vaso pasa a nuestra sangre. ¡Casi casi se podría decir que se trata de una «transfusión sanguínea»!

- Sus nutrientes son altamente absorbibles, prácticamente en su totalidad, pues se trata de un líquido. En los zumos se elimina casi toda la fibra insoluble y solo contienen pequeñas cantidades de fibra soluble. ¡Pero no te asustes! A pesar de su aporte mínimo de fibra, también nos ayudan a regular el tránsito intestinal debido a su efecto depurativo en el aparato digestivo; además, como vamos a seguir una alimentación limpia, encontraremos suficiente cantidad de fibra en el resto de nuestras comidas.

- Le dan un respiro a nuestro sistema digestivo, pues no requieren de digestión. Y cuando nuestro estómago e intestinos no están trabajando en hacer la digestión, están enfocando su energía en seguir depurando el cuerpo.

- ¡Piensa en la cantidad de vegetales que puedes tomar en un solo zumo! De media, en un zumo verde de unos 500 ml tenemos unas 7-8 raciones de fruta y verdura (que no es lo mismo que número de unidades de verdura o fruta), que cubren las «cinco al día» y se acercan a las 10-13 que realmente necesita nuestro cuerpo para combatir la exposición a radicales libres endógenos (los que nuestro propio cuerpo produce de la combustión de los alimentos) y toxinas externas. Por más frikis que seamos de lo verde, comerse tanta cantidad diaria de vegetal con el tenedor nos va a suponer tiempo y mucho trabajo de mandíbula.

- Los zumos se preparan, con una licuadora o, si consideramos la calidad del producto resultante, con un extractor de prensado en frío o Cold Press. Estos electrodomésticos separan el zumo de la pulpa/fibra de los vegetales y dejan una bebida prácticamente líquida, aunque algunos extractores Cold Press dejan pasar pequeños grumos. ¡De hecho, para mi gusto, resultan más auténticos!

Si tienes el hábito de prepararte zumos verdes a diario, te recomiendo, sin duda, usar un extractor Cold Press; no solamente hay una diferencia en el sabor, sino que extrae el zumo lentamente de los vegetales, masticándolos y aprovechando al máximo su contenido en líquido. Además, al ir a poquitas revoluciones (entre 45-70 rpm), la temperatura del electrodoméstico no sube, y así conserva las vitaminas y enzimas del zumo, y tampoco permite que entre en contacto con mucho aire (oxígeno que oxidaría nuestro zumo). Es una inversión inicial considerable, pues su precio puede resultar elevado, pero a la larga se amortiza por su durabilidad y porque necesitamos una menor cantidad de producto para llenar el mismo vaso si lo comparamos con una licuadora convencional (de centrifugación).

- Un zumo será la primera parte de nuestro desayuno y no lo consideraremos una comida completa, ya que no nos aporta suficientes proteínas, grasas ni fibra. Normalmente, con un zumo no tendremos bastante para satisfacer nuestro apetito y lo acompañaremos con un desayuno saludable (¿cómo no?) para seguir con la tónica. Un desayuno libre de lácteos y libre de gluten, lo que hará que las digestiones sean más ligeras y que evitemos reacciones adversas o intolerancias si somos sensibles a estos ingredientes. Algunas opciones de desayuno *healthy* podrían ser las gachas de avena, los púdines de chía o tostaditas de trigo sarraceno con aguacate, tomate y brotes de girasol. (Podéis encontrar las recetas en mi canal de YouTube, en mi libro *Superfoods* y algunas en mi blog.)

Los batidos verdes:

- Se preparan con una batidora en cuyo vaso ponemos todos los ingredientes y se tritura y mezcla todo. No se descarta la fibra y se aprovecha todo.

- La textura de la bebida es más densa y espesa que la del zumo, debido a su elevado contenido en fibra. En el proceso de trituración, esta fibra se rompe y es mucho más fácil de procesar (no digerir, porque las fibras no se absorben) dentro del sistema digestivo que cuando consumimos las frutas y los vegetales enteros. La fibra es un elemento importante en nuestra alimentación, y en muchas dietas que aún no siguen una filosofía «come limpio», agregar un batido facilitará llegar a la recomendación diaria (25 gramos para las mujeres y 38 gramos para los hombres). La fibra nos ayuda a mantenernos saciados, a regular el tránsito intestinal y será alimento para nuestra buena flora bacteriana.

- La fibra nos ayudará también a regular los niveles de azúcar y colesterol en la sangre, al capturar algunas de sus partículas, ralentizando la absorción del primero y expulsando el segundo del cuerpo, pero también sucederá algo parecido con algunos micronutrientes. Su absorción no será tan inmediata y no se aprovecharán todos sus nutrientes al cien por cien como en los zumos. Los batidos, aunque ya están predigeridos, pues se trata de una bebida triturada, sí requieren digestión, y tardarán unos 20-30 minutos en ser completamente absorbidos.
- El tipo de batidora que utilizaremos sí que marcará una diferencia. Cuanto más potente sea, más homogéneo será el batido (no se separará en capas), menos grumos tendrá, o más pequeños serán estos, y menor tiempo de trituración llevará (con lo que no se calentará la bebida).
- En los batidos podemos usar ingredientes que nunca pondríamos en un extractor de zumos, como plátanos, mango, aguacate y dátiles, por su cremosidad y porque poco líquido les sacaríamos.
- Un batido puede ser un desayuno completo. Según la receta, hay batidos que son densamente nutritivos, nos aportan una buena dosis de calorías, azúcares naturales, grasas insaturadas, proteínas vegetales y fibra, además de todos los micronutrientes de sus frutas y verduras.

Nota

¡Ojo! A las personas con colon irritable, con enfermedad de Crohn, alteraciones gastrointestinales o simplemente aquellos que no estén acostumbrados a tomar grandes cantidades de vegetales y menos en crudo, les puede resultar agresivo para la mucosa intestinal tomar un batido. Es aconsejable iniciarse en las bebidas verdes con un zumo y poquito a poco probar los batidos, una vez que nuestro sistema digestivo se haya sanado. Para aquellas personas que quieran un efecto depurativo mayor cuyo objetivo sea sanarse de alguna condición médica, los zumos ofrecerán la mayor cantidad de beneficios nutricionales de una forma suave y muy fácil de absorber.

Todo lo que debes saber sobre los batidos

1 ¿Cómo funciona este libro?

Empecemos por el principio. Si estás leyendo esta parte del libro, ya sabes cúal es mi opinión sobre los zumos y has podido aprender las diferencias básicas entre un zumo y un batido. Ahora, pues, será el momento de responder dudas y preguntas al respecto que aún hayan quedado en el tintero y... ¡empezar a prepararlos!

A continuación de esta sección de preguntas encontrarás el capítulo de recetas, que está dividido en cuatro grupos: **batidos verdes**, **zumos verdes**, **leXes vegetales** y **recetas con pulpa**.

Al finalizar las recetas, verás que, si te animas, te propongo hacer una pequeña depuración del cuerpo, alimentándote durante tres días exclusivamente a base de estas deliciosas bebidas vegetales. Te indico los zumos y batidos que tomar en las diferentes horas del día, y hasta te doy la lista de la compra, para que no tengas que hacer tú el cálculo. Te lo doy más que masticado, y... nunca mejor dicho, porque de esto se va a tratar. ¡De dejar descansar nuestro sistema digestivo!

2 ¿En qué unidades se miden las cantidades de los ingredientes de los zumos y batidos?

El mundo de las bebidas vegetales no es una ciencia exacta, y como cuento en las primeras páginas de este libro, alimentarse bien no debería ser igual a calcular gramos, calorías ni restricciones. **¡Fluyamos!** Seamos más prácticos y no desenfundemos la báscula para calcular gramos... Las unidades de medida que uso para los zumos son básicamente tazas, cucharadas, cucharaditas, puñados y pellizcos. Pero para los que seáis más detallistas o queráis tener una guía más exacta, aquí tenéis algunas equivalencias:

1 taza = 250 ml en un medidor de líquidos
½ taza = 125 ml en un medidor de líquidos
¼ de taza = 60 ml en un medidor de líquidos = 4 cucharadas
1 cucharada = 3 cucharaditas = 15 ml
1 cucharadita = 5 ml
un puñado = 30 g de frutos secos = 15 g de espinacas frescas

No será exclusivamente la cantidad de un ingrediente lo que cambiará la textura o el dulzor de un batido. Piensa que, por mucho plátano que le pongamos a un batido, si este está verde, no sabrá igual que si usamos un plátano que está a punto de caramelo. O no tendrá la misma cremosidad un batido en el que hayamos usado un aguacate verde, que uno cuya textura parezca mantequilla.

Procura siempre que la fruta esté madura, pues será cuando más rica sepa y cuando tenga la mayor concentración de nutrientes.

3 ¿Qué pasa con los azúcares en estas bebidas?

En el caso de los batidos, la fibra retiene parte de los azúcares naturales que encontramos en las frutas, y esto hace que su absorción sea paulatina y evita que se generen grandes picos de glucosa en la sangre. Aun así, la mayoría de los batidos que encontrarás en las siguientes páginas sí son fuentes de azúcares naturales; todos, excepto aquellos que no tienen fruta, que también los hay. En caso de padecer candidiasis o diabetes, simplemente prepárate aquellos batidos que no llevan fruta, o reduce las cantidades; no agregues los dátiles donde se indique en la receta o usa la mitad o menos de la ración de esta fruta. Para aumentar la cantidad de líquido en el zumo, incorpórales más pepino o apio.

En el caso de los zumos, procuro usar siempre más cantidad de vegetales que de fruta, ya que esta suele ser una sola unidad o ración y tiende a ser fruta ácida, es decir, con menor cantidad de azúcares, como los pomelos, las naranjas, el kiwi, las manzanas verdes y los frutos silvestres... Este tipo de bebidas no contienen tanta fibra como los batidos y podrían ocasionar picos de glucosa e insulina en la sangre y, a la larga, desarrollar diabetes. ¡Y ahora estarás pensando en ese zumo de naranja que te traía tu madre todas las mañanas a la cama, o que te pides día tras día en la cafetería, ¿verdad?!

4 ¿Se pueden decorar los zumos y batidos con otros ingredientes? ¿Qué son los *toppings*?

De forma opcional, propongo agregar un plus de nutrición a nuestros zumos incorporándoles *toppings*, **superalimentos**, ingredientes que nos aportan mucha micronutrición en pequeñísimas cantidades. Yo los uso día tras día y voy variando según me apetece; eso sí, no recomiendo mezclar más de tres o cuatro en una misma bebida. Lo bueno será ir rotando, y cada día probar diferentes tipos. En mi primer libro, *Zumos verdes*, y en el siguiente, *Superfoods*, puedes encontrar información muy completa sobre todas las propiedades de estos ingredientes, sus dosis recomendadas y muchas otras recetas que preparar con ellos, que no son ni zumos ni batidos.

Los *toppings* propuestos en cada receta están pensados para seguir una correcta combinación de los alimentos.

5 ¿Por qué se puede sustituir...?

A continuación te presento algunas frutas y verduras que se pueden sustituir por otras:

- manzana: pera
- canónigos: espinacas, lechuga
- aguacate: carne de coco joven
- plátano: mango, melocotón
- albahaca: menta
- zanahoria: boniato, remolacha
- col: brócoli
- apio: hinojo, pepino
- perejil: cilantro
- pepino: calabacín, apio
- pomelo: naranja
- *kale*: espinacas, col, brócoli
- kiwi: manzana
- piña: papaya
- fresas: arándanos, frambuesas

6 ¿Cuándo es aconsejable tomar los zumos?

Preferiblemente por la mañana, en ayunas o después del agua con limón. Aun así, es preferible tomarlo más tarde que dejar de hacerlo. Además, los zumos y batidos verdes también serán un *snack* de media mañana o tarde ideal para saciarnos y mantener nuestros niveles de energía ¡por las nubes!

7 Cuando hace frío no me apetecen tanto los zumos. ¿Hay algún truquito?

Bien, cuando ya usamos la bufanda para salir a la calle, la verdad es que las bebidas que más nos apetecen son tés, infusiones y *lattes* calentitos. Te entiendo..., pero no por ello dejes de tomar tu zumo o batido verde. Estos te ayudarán a fortalecer tus defensas, algo que necesitamos durante las estaciones más frías. Al levantarte, antes de preparar tu agua calentita con limón, saca las frutas y verduras de la nevera que vayas a utilizar, y también te aconsejo guardar todos los alimentos que puedas fuera del frigorífico (plátanos, zanahorias, apio, limones, naranjas). Cuando tengas ya el cuerpo reconfortado y calentito, prepara el zumo/batido con las verduras y tómatelo a sorbitos y mastícalo (algo que **siempre** deberemos hacer, haga frío o calor). Esto subirá su temperatura. Cuando termines, deja pasar unos diez minutos y prepárate una infusión para volver a calentar tus manos.

8 ¿Qué hago cuando estoy de viaje y no puedo preparar mi zumo o batido verde?

Para esto tuve que encontrar una solución y rápido, porque si me seguís en las redes sociales, veréis que cada dos por tres estoy subida a un avión o montada en el coche haciendo *road-trip*. Lo que yo tomo son unas cápsulas de zumo verde deshidratado, fácil de transportar y rápido de tomar. Otras opciones que igualmente sigo y persigo son:

- Agregar una cucharada de hierba de trigo, espirulina o preparado de hojas verdes en polvo a un zumo de naranja natural (más fácil de encontrar en cafeterías).
- Llevar conmigo mi *personal blender* o batidora personal y localizar un supermercado o frutería donde poder comprar verduras en el sitio de destino.
- Localizar un *juice-bars* (bar de zumos) o restaurantes saludables donde poder comprarlos.
- Comer fruta entera para desayunar o *crudités* de vegetales como *snack*.
- O, simplemente, relajarme y pensar que cuando regrese a casa seguiré cuidándome como a mí me gusta.

9 ¿Se pueden tomar zumos y batidos verdes si estás embarazada?
Estas bebidas vegetales nos ayudan a incrementar la dosis de micronutrición para el cuerpo, esencial para que el bebé se desarrolle sanamente. Lo que sí debemos tener en cuenta es limpiar bien los vegetales y frutas crudas para reducir al máximo su exposición a bacterias. Los dos métodos más efectivos y naturales que podemos usar consisten en sumergir las verduras en un bol de agua con cuatro cucharadas de vinagre de manzana, o bien con una cucharada de agua oxigenada.

Obviamente, las verduras deberán enjuagarse bien antes de usarlas en la preparación para eliminar restos del vinagre o agua oxigenada, ya que esta última, si no se ha rebajado lo suficiente al mezclarla con el agua, podría irritar un poco las mucosas intestinales.

10 ¿Los niños pueden tomar zumos/batidos verdes?
Si lo haces para mejorar tu estado de salud, ¿no lo harás por el suyo? Cuando el bebé deja de tomar leche materna de forma exclusiva podemos ofrecerle zumo o batidos verdes, siempre adecuando las cantidades a sus zumos y sin pasarnos en las proporciones. Los pediatras recomiendan unos 125 ml hasta los 12 meses, y hasta unos 250 ml entre los 12 meses y los 3 años. Tampoco prepararemos bebidas demasiado dulces. Es mejor acostumbrar a los hijos a sabores vegetales cuando son pequeñitos, así te ahorrarás mucho trabajo y discusiones en el futuro. Ahora bien, siempre será mejor consultarlo con el pediatra antes por si tiene alguna recomendación específica.

11 ¿Es bueno tomar bebidas vegetales en caso de diabetes?
En este caso, la mejor recomendación es ir a lo **verde**. Los zumos los prepararemos exclusivamente de vegetales, y si queremos endulzarlos podremos usar estevia (preferiblemente natural y en hoja), o darles un punto más picante agregándoles lima, limón o un toque de jengibre. Los zumos 100 % verdes tendrán un efecto altamente depurativo, regulador y estabilizador de los niveles de glucosa en sangre, y pueden ser de gran ayuda para eliminar síntomas e incluso revertir la diabetes tipo 2. Yo mis-

ma he sido testigo de pacientes que han hecho semiayunos a base de zumos verdes, siempre bajo supervisión de profesionales de la salud, y han curado su diabetes.

Los batidos verdes son otra opción. Como estos nos aportan toda la fibra de las frutas y verduras, los azúcares que contienen se absorben de forma más lenta. Aun así, aconsejo usar frutas con un índice glucémico bajo, como los cítricos, las fresas y los frutos silvestres.

Si eres nuevo en el tema, ve controlando tus niveles de azúcar en sangre los primeros días y ajusta o reduce la cantidad de fruta si es que te preparas batidos. Es más, si eres diabético y te aventuras a seguir este hábito, fíjate en tus números y observa y monitoriza tu progresión positiva.

12 ¿Es bueno tomar bebidas vegetales en caso de padecer cáncer?

Let the food be your medicine (es decir, que tu alimento sea tu medicina) y, precisamente, alimentos naturales y altamente concentrados en micronutrientes son los que te sanarán. Ahora bien, debes prepararte zumos exclusivamente verdes, y los batidos verdes tendrán un contenido en azúcares mínimo, pues se sabe que el azúcar estimula el crecimiento tumoral. Así que, como en el caso de la diabetes, usaremos frutas con un índice glucémico bajo (ver la pregunta anterior). La fibra en los batidos también nos ayudará a retener parte de los azúcares. Y otra cosa muy importante será lavar cuidadosamente los ingredientes antes de la preparación (ver mis consejos en la pregunta 9).

13 ¿Es cierto que se pueden preparar leXes vegetales en casa usando los extractores y batidoras?

¡Absolutamente cierto! Y siempre será una opción mucho más saludable que comprar la leXe vegetal envasada en tetrabrik del supermercado, en la que si leemos la lista de ingredientes encontraremos emulsionantes, gomas y otros aditivos que hecha en casa ni se nos ocurriría agregar. Cuando pruebes su sabor... ¡estarás más que convencido de qué es LO BUENO!

Además, son una buena opción si eres vegano, intolerante a la lactosa o simplemente estás buscando otra alternativa a la leche de vaca. ¿Y el calcio? Sabía que esta era la pregunta... La mejor fuente de calcio en tu dieta serán los vegetales de hoja verde, las algas, las semillas, los frutos y la fruta seca.

Por cierto, las llamo leXes, con «X», a propósito, para diferenciarlas de la leche de vaca, pues comercialmente no podemos llamar a esta bebida leche, sino que «bebida vegetal» es su nombre apropiado.

A partir de la página 110 te enseño cómo prepararlas y te doy tres propuestas más elaboradas para que experimentes con ellas.

14 ¿Qué hacer con la pulpa sobrante de los zumos verdes?

¡Con ella podemos ser muy creativos! A partir de la página 112, te propongo cinco recetas para reciclar la pulpa de tus zumos. Siempre se puede congelar si tienes mucho excedente de ella.

Elaboración de los batidos

Prepararse un batido verde no podría ser más fácil... Limpia tus ingredientes, ponlos en la batidora y pulsa ¡ON!

Pero aunque sea fácil, a continuación te doy algunas recomendaciones salidas de todos mis éxitos y fracasos, preparando estos deliciosos brebajes:

- En todas las recetas se sugieren cantidades orientativas de líquido, ya sea agua, agua de coco, zumo de naranja o leXes vegetales. Según lo consistente que queramos nuestro batido, le agregaremos más o menos líquido. Todo siempre al gusto; así que lo mejor que puedes hacer con cada una de las recetas que te propongo es adaptarla a tu paladar y conveniencia.
- Empieza triturando primero la base líquida con los vegetales durante 3 segundos para que se rompan bien sus fibras y el batido quede más cremoso, antes de agregarle las frutas.
- La fruta como el plátano, el mango, las moras, los arándanos o las fresas puede usarse congelada. Esto aún le dará un toque más cremoso y fresquito al batido, si también buscas esto en ellos. Pero asegúrate de que sean de cultivo orgánico. Esta siempre será la preferencia.
- Si no tienes una batidora muy potente y uno de los ingredientes es un tubérculo/raíz, puedes rallarlo primero para que no queden demasiados grumos y, sobre todo, ¡evitar que la máquina se queme! Si se trata de fruta seca muy dura, como a veces los dátiles o los higos, ponla en remojo con agua calentita durante 10 minutos antes de batirla.
- Para un textura más cremosa en los batidos, puedes sustituir las leXes vegetales por yogures vegetales de coco o almendra, o si te es fácil encontrarla, agregarles una taza de carne de coco joven.
- Si quieres un batido bien fresquito, agrégale cubitos de leXe vegetal. ¿Sabías que también la puedes congelar? De esta manera, al deshacerse los cubitos, el batido no te quedará aguado.

- Aunque no tengas todos los ingredientes de una receta, o no tengas los *toppings* propuestos de decoración, prepárate el batido y sé creativo, agregándole otras frutas o verduras que sí tengas en casa.

¿Cómo preparar tu batido personal?

Está muy bien seguir recetas, inspirarnos en libros, fotos de Instagram y Pinterest, pero te animo a que dejes fluir tu imaginación y crees tus propias obras en la batidora.

Tres serán los pasos básicos para preparar un buen batido. El resto serán opcionales. A continuación, te los muestro englobados con el nombre genérico y con algunas ideas más, pero serás tú quien elija los ingredientes que prefieras.

Elige como mínimo un ingrediente de cada grupo, mételos en la batidora, acuérdate de poner la tapa y *¡shake it, shake it!*

1. **Base líquida:** agua, agua de coco, leXe vegetal, zumo de naranja, yogur vegetal, té o infusión.
2. **Fruta:** plátano, fresas, arándanos, manzana, pera, piña, uva, kiwi, melocotón, naranja, ciruela, aguacate...
3. **Vegetal:** *kale*, espinacas, diente de león, canónigos, rúcula, acelgas, zanahoria, calabaza, remolacha, apio, pepino, calabacín, pimiento, lechuga...
4. **Dale más sabor (opcional):** hierbas aromáticas frescas (albahaca, menta, orégano...) y/o especias (jengibre, cúrcuma, canela, nuez moscada, cayena...)
5. **Más proteico (opcional):** semillas de cáñamo, de chía, de lino, de calabaza o girasol. Proteína de guisante o cáñamo. Crema de cacahuete, almendra o *tahini*.
6. **Más súper (opcional una cucharada/cucharadita):** *nibs* de cacao, polen de abeja, espirulina, maca, acai, hierba de trigo, baobab, noni, camu-camu, bayas de goji...
7. **Más dulce (opcional):** dátiles, orejones, pasas, miel cruda, sirope de arce, estevia...

¿Qué tipo de batidos vas a encontrar en este libro?

Verás que las recetas de batidos están clasificadas según sus propiedades.

- El primer grupo, ***smoothies* depurativos**, presenta mezclas principalmente verdes, que respetan la correcta combinación de los alimentos para que sean mucho más fáciles de digerir y no mezclan proteínas, pero sobre todo grasas con azúcares. La grasa recubre las paredes arteriales y podría causar una barrera para la absorción del azúcar dentro de las células, lo cual provocaría un incremento de los niveles de azúcar e insulina en sangre y un aumento del riesgo de desencadenar diabetes tipo 2. Los alimentos que predominan en este grupo son vegetales verdes, sobre todo hojas, que tienen un efecto alcalinizante y antioxidante.

- En el segundo grupo, **smoothies energéticos**, te presento mezclas más elaboradas y seguramente más cremosas o apetitosas para el paladar. Son batidos más densos y sí contienen mezclas de diferentes macronutrientes (carbohidratos, proteínas y grasas). La mayoría son batidos completos, que podrían sustituir una comida, para esos momentos en los que tenemos prisa y no podemos sentarnos a la mesa y lo que más necesitamos es algo para ir tomando de camino a nuestra siguiente tarea. Sea como sea, prometo que están irresistiblemente buenos.

- En el tercer grupo, **smoothies proteicos**, verás batidos con un alto contenido en proteína vegetal, ya sea porque tienen frutos secos, semillas, cremas de frutos secos y/o semillas, proteína de guisante o leXes vegetales. Son ideales para tomar después de realizar ejercicio, pues nos ayudan a rehidratar el cuerpo, contrarrestar la oxidación y combatir los radicales libres fruto del esfuerzo realizado, nos aportan aminoácidos para reparar las pequeñas roturas fibrilares en la musculatura y... ¡nos dan una sabrosa recompensa después de sudar la gota gorda!

- En el cuarto grupo, **smoothies relax**, hay batidos reconfortantes, que te miman y abrazan. Son para calmarte, para darte un toque de dulzor, pero sin acelerarte demasiado. Batidos para tranquilizarte y que te dan el beso de buenas noches.

Sea cual sea que el que elijas, prometo que... ¡todos están para lamerse los bigotes!

Recetas

BATIDOS VERDES 29

Smoothies depurativos 30
Smoothies energéticos 52
Smoothies proteicos 74
Smoothies relax 84

ZUMOS VERDES 90

LEXES VEGETALES 110

RECETAS CON PULPA 112

Green Glow

INGREDIENTES

2 ramas de apio
2 hojas de kale
⅓ de pepino
3 ramitas de perejil
1 manzana
un pellizco de brotes de alfalfa
un trocito de jengibre (del tamaño de la uña del dedo pulgar)
1 taza de agua / agua de coco

Toppings: *hierba de trigo, manzana a láminas, perejil y limón.*

Incorpórale una cucharadita de hierba de trigo, verde para seguir con su tónica, pero, sobre todo, para darle un efecto más depurativo y alcalinizante.

PREPARACIÓN

Lava todos los ingredientes. No hace falta que peles el pepino ni la manzana si son de cultivo ecológico. Corta el pepino a cuartos verticales y la manzana en octavos y quítale el corazón. Deja las hojas del apio y corta el tallo por la mitad o en tercios. Retira el tallo de las hojas de *kale*, ya que es demasiado fibrosa.

Vierte el agua en la batidora e introduce también todos los vegetales a excepción de la manzana y el pepino. Bate durante 3 segundos; después, agrega el resto de ingredientes y conecta de nuevo la batidora durante 5 segundos más o hasta deshacer todos los grumos si quieres una textura más fina.

BENEFICIOS

Este batido es mi versión del zumo Glory Morning pero en textura de *smoothie*. Es el que suelo preparar más a menudo por sus propiedades depurativas y alcalinizantes y porque ¡el **verde** me puede! Es una muy buena dosis de vegetales verdes y fibra a primera hora de la mañana que te ayudará a sentirte ligero, refrescado y con un buen toque de energía. Es muy rico en clorofila, carotenos, calcio, magnesio y potasio. Si lo quieres más dulce y/o cremoso agrégale medio plátano maduro o uno entero. Uno de mis ingredientes favoritos son los brotes y germinados. Estas diminutas semillas con colita, con un sinfín de propiedades beneficiosas, son una caja llena de aminoácidos, ácidos grasos, enzimas y fitoquímicos muy fáciles de absorber y asimilar para nuestro cuerpo.

Summer Sunshine

INGREDIENTES

3 zanahorias
½ pepino
3 hojas de lechuga
un pellizco de brotes de pipas de girasol
1 melocotón
1 taza de agua de coco

PREPARACIÓN

Lava todos los ingredientes. Pela el melocotón y deshuésalo. Pela el pepino para que no dé color verde al batido y las zanahorias si no has podido lavarlas bien con el cepillo de verduras. Corta el pepino en cuartos y las zanahorias no más largas de 5 cm.

Vierte el agua en la batidora e introduce también todos los vegetales, a excepción del pepino y el melocotón. Bate durante 3 segundos; después, agrega el resto de ingredientes y conecta de nuevo la batidora durante 5 segundos más o hasta deshacer todos los grumos si quieres una textura más fina.

BENEFICIOS

Este batido me recuerda constantemente a los rayos de sol en un atardecer de verano. Lleno de betacarotenos, el pigmento que le da el color anaranjado, nos ayuda a proteger la piel expuesta a los rayos solares y, en general, a reparar todas las mucosas de nuestro cuerpo. Junto con el resto de ingredientes altamente hidratantes y concentrados en minerales embellecedores (pepino, lechuga y brotes de pipas de girasol) nos ayudará a lucir un pelo y unas uñas fuertes y duros. Los brotes de pipas de girasol tienen una alta concentración de aminoácidos, enzimas activos, y vitaminas y minerales como: cobre, calcio, hierro, magnesio, fósforo, potasio, ácido fólico y vitaminas A, C y E. Vaya, que este supergerminado aporta un alto valor nutricional al batido.

Toppings: *melocotón, polen de abeja y bayas de goji.*

El polen de abeja y las bayas de goji son muy ricos en betacarotenos y proteína completa.

Berry Antiox

INGREDIENTES

3 ramas de apio
3 hojas de kale
1 kiwi
5 fresas
1 vaso de agua de coco

Toppings: *bayas de goji, kiwi, fresas y semillas de chía.*

Las bayas de goji nos aportarán más vitamina C, y una cucharadita de semillas de chía, fibra soluble y omega-3.

PREPARACIÓN

Lava todos los ingredientes, pero conserva el rabito de las fresas porque son **¡hojitas verdes!** Pela el kiwi y córtalo a mitades. Deja las hojas del apio y corta el tallo por la mitad o en tercios. Retira el tallo de las hojas de *kale* ya que es demasiado fibroso.

Vierte el agua en la batidora e introduce también todos los vegetales menos el kiwi y las fresas. Bate durante 3 segundos; después, agrega el resto de ingredientes y conecta de nuevo la batidora durante 5 segundos más o hasta deshacer todos los grumos si quieres una textura más fina.

BENEFICIOS

Este batido es altamente rico en vitamina C, muy presente en las fresas, el kiwi y la col *kale*. La vitamina C juega un rol muy importante en la reparación de los tejidos y cartílagos, a la vez que contrarresta el efecto de los radicales libres responsables de la degeneración de nuestras células. Se trata de un *smoothie* con un toque picante por las semillas del kiwi que, a su vez, también nos ayudarán a limpiar el colon.

Green Energy

INGREDIENTES

1 plátano
½ manzana Granny
dos puñados de espinacas
1 vaso de agua de coco

PREPARACIÓN

Lava la manzana y las espinacas. Pela el plátano y corta la manzana en octavos y sácale el corazón.

Vierte el agua en la batidora e introduce también las espinacas. Bate durante 3 segundos; después, agrega el plátano y la manzana y conecta de nuevo la batidora durante 5 segundos más o hasta deshacer todos los grumos si quieres una textura más fina.

BENEFICIOS

Perfecta combinación para una base nutritiva, cremosa y dulce, a la vez que un tanto ácida. Las espinacas, reinas de este batido, nos aportarán vitaminas A y C, folatos, y un buen grupo de minerales, como el manganeso, el hierro y el magnesio. Además, su gran contenido en vitamina K nos ayudará a mantener los huesos en buen estado. Es un batido nutritivo a la vez que energético.

Toppings: *té* matcha, *plátano, hojas de espinaca y maca.*

Media cucharadita de té matcha *le dará un chute aún más energético.*

Blue Flush

INGREDIENTES

1 taza de arándanos
1 cucharada de semillas de lino
un puñado de espinacas
¼ de aguacate
1 ½ tazas de agua de coco

PREPARACIÓN

Lava los arándanos y las espinacas. Parte el aguacate, retírale el hueso y pélalo.

Vierte el agua en la batidora e introduce también las espinacas y las semillas de lino. Bate durante 3 segundos; después, agrega los arándanos y el aguacate y conecta de nuevo la batidora durante 5 segundos más o hasta deshacer todos los grumos si quieres una textura más fina.

BENEFICIOS

Este cremoso batido es una muy buena fuente de ácidos grasos insaturados, rico en omega-6 y omega-3, que provienen del aguacate y de las semillas de lino. Además, ¿sabías que los arándanos son uno de los alimentos más antioxidantes que existen en la Tierra? Nos aportan resveratrol, ácido gálico, luteína, zeaxantina, vitaminas K y C, y manganeso, micronutrientes que también comparten con las espinacas.

Toppings: *arándanos, frambuesas, moras, semillas de lino y aguacate.*

Si añades una cucharadita de semillas de lino como topping*, recuerda masticarlas bien o triturarlas antes de comerlas.*

Ball

Tropical Green

INGREDIENTES

1 plátano
1 rodaja de piña
½ carne de coco joven o ¼ de taza de ralladura de coco
3 hojas de kale
1 taza de agua de coco

PREPARACIÓN

Lava las hojas de *kale* y retírales el tallo, ya que es demasiado fibroso. Corta una rodaja de piña y quítale la corteza, pero deja su parte central. Pela el plátano. Abre el coco con la ayuda de un abrecocos o un cuchillo de cocina.

Vierte el agua del coco en la batidora, agrégale las hojas de *kale* y bate durante 3 segundos. A continuación, incorpora el resto de ingredientes y bate durante 5 segundos más o hasta deshacer todos los grumos si quieres una textura más fina.

BENEFICIOS

Palmeras, brisa calurosa, una tumbona, un sombrero en la cabeza y una piña colada en la mano... Sí, sí, este batido te lleva a tus vacaciones en los trópicos pero **¡en verde!** Irresistiblemente cremoso y fresco, este *smoothie* satisfará tus antojos, a la vez que te aportará una buena dosis de fibra, te rehidratará con minerales como el potasio y el magnesio y aumentará tus dosis de energía con sus azúcares naturales y grasas saturadas, pero de cadena media, de la carne de coco.

Toppings: *espirulina, copos de coco, piña y brotes de pipas de girasol.*

Unos copos de coco y una cucharadita de espirulina le darán un toque hawaiano y potenciarán su dosis de energía.

Refreshing Green

INGREDIENTES

1 plátano
6 ramas de cilantro
un puñado de espinacas
10 hojas de menta
1 ½ vasos de agua

PREPARACIÓN

Lava las espinacas, las ramitas de cilantro y las hojas de menta. Pela el plátano.

Vierte el agua en la batidora, agrégale todos los ingredientes excepto el plátano y bate durante 3 segundos. A continuación, incorpora el plátano y bate durante 5 segundos más o hasta deshacer todos los grumos si quieres una textura más fina.

BENEFICIOS

Este *smoothie* será el más aromático de todas las recetas. La menta nos dará un toque altamente refrescante, asistirá en digestiones más agradables y nos echará una mano si sufrimos de mal aliento. El cilantro es otra hierba aromática muy remineralizante y de la que me encanta remarcar su elevado aporte de calcio. Además, se le otorgan propiedades antiinflamatorias, antidiabéticas y antibióticas, sobre todo para combatir la salmonela.

Toppings: *hojas de menta y rodajas de lima y limón.*

Échale unas gotas de limón si le quieres dar un toque aún más refrescante.

Verde salao'

INGREDIENTES

2 tazas de espinacas
1 taza de brotes de pipas de girasol
½ aguacate
un pellizco de lentejas germinadas
el zumo de ½ limón
sal marina
1 diente de ajo (opcional)
1 vaso de agua

PREPARACIÓN

Lava las espinacas. Parte el aguacate por la mitad, extráele el hueso y pela solo una mitad, que es la que vamos a usar.

Vierte el agua en la batidora, agrégale las espinacas, los germinados y los brotes, y bate durante 3 segundos; después, incorpora el medio aguacate, el zumo de limón, una pizca de sal y el ajo si optas por él, y bate durante 5 segundos más o hasta deshacer todos los grumos si quieres una textura más fina.

BENEFICIOS

Este *smoothie* será el más depurativo de todo el libro. Podríamos comerlo como si de una crema de verduras fría se tratara y, de hecho, es lo que es. Esta receta está inspirada en la Energy Soup que estuve tomando durante 15 días seguidos en mi experiencia y certificación en el Ann Wigmore Institute de Puerto Rico. Es una combinación de germinados, hojas verdes y grasas poliinsaturadas; pura nutrición para el cuerpo repleta de aminoácidos, ácidos grasos, enzimas y otros micronutrientes altamente biodisponibles (muy fáciles de absorber) que nos ayudarán a limpiar y depurar hasta el lugar más recóndito de nuestros intestinos.

Toppings: *copos de alga dulse, aguacate, semillas de lino y brotes de pipas de girasol.*

Los toppings *nos forzarán a masticar el batido, algo que siempre debemos hacer.*

Awakening

INGREDIENTES

1 mango
1 rama de hinojo
un puñado de espinacas
½ pepino
1 ½ tazas de agua de coco

PREPARACIÓN

Lava las espinacas, el pepino y el hinojo. Corta el pepino a cuartos verticales y no hace falta que lo peles si es de agricultura ecológica. Pela el mango, separa el hueso y córtalo en mitades.

Vierte el agua de coco en la batidora con todos los ingredientes excepto el mango y bate durante 3 segundos; después, agrega el mango y bate durante 5 segundos más o hasta deshacer todos los grumos si quieres una textura más fina.

BENEFICIOS

Este será un dulce despertar con la cremosidad y dulzura del mango y el armonioso aroma del hinojo. El mango es una fruta tropical rica en betacarotenos y provitamina A, excelente para la salud de la piel y la vista. Debido a su elevado contenido en vitamina C, pectinas y otras fibras, también es un muy buen aliado para reducir el colesterol malo y los niveles de azúcar en sangre (LDL). El pepino, el hinojo y las espinacas le darán la base más acuosa y alcalina al batido.

Toppings: *mango, bayas de goji y pelitos de hinojo.*

Green Tropical Twist

INGREDIENTES

½ papaya mediana
1 kiwi
1 rodaja de piña
½ pepino
un puñado de canónigos
1 ½ vasos de agua de coco

PREPARACIÓN

Lava los canónigos y el pepino. Corta el pepino a cuartos verticales y no hace falta que lo peles si es de agricultura ecológica. Pela el kiwi y pártelo por la mitad. Corta una rodaja de piña, retira su corteza, quítale el hueso central y pártela por la mitad. Divide la papaya por la mitad, sácale las pepitas, pélala y córtala a tacos grandes.

Vierte el agua de coco en la batidora con los canónigos y el pepino y bate durante 3 segundos. Después, agrega la papaya, el kiwi y la piña y bate durante 5 segundos más o hasta deshacer todos los grumos si quieres una textura más fina.

BENEFICIOS

Este *twist* tropical será altamente digestivo. La papaya y la piña son dos frutas con una alta actividad enzimática. Encontramos bromelina en la piña y papaína en la papaya, lo cual nos ayuda a aliviar y mejorar nuestras digestiones. Junto con el kiwi, son una rica fuente de vitamina C y fibra. Los canónigos le darán el toque verde sin agregar demasiado sabor vegetal a la mezcla.

Toppings: *copos de coco, semillas de papaya, cuadraditos de papaya y cuadraditos de kiwi.*

After Party Smoothie

INGREDIENTES

3 tajadas de melón
1 plátano
dos puñados de espinacas
½ pepino
3 ramas de perejil
el zumo de un ¼ de limón
un trozo pequeño de jengibre (del tamaño de la uña del dedo pulgar)
un trozo pequeño de raíz de cúrcuma (del tamaño de la uña del dedo pulgar)
1 ½ vasos de agua de coco

En este caso, déjate de *toppings* y ve directo a la medicina. Tómate este batido varias veces al día si te hace falta. ¡Te ayudará a recuperarte del todo y te dejará como nuevo!

PREPARACIÓN

Lava las espinacas, el perejil, el pepino y los trocitos de raíz de cúrcuma y jengibre. Corta el pepino a cuartos verticales y no hace falta que lo peles si es de agricultura ecológica. Corta tres tajadas de melón y retírales las pepitas y la corteza. Parte las tajadas por la mitad. Pela el plátano. Exprime el zumo del limón.

Vierte el agua de coco en la batidora con todos los ingredientes menos el melón, el plátano y el zumo de limón y bate durante 3 segundos. Después, agrega el resto de los ingredientes y bate durante 5 segundos más o hasta deshacer todos los grumos si quieres una textura más fina.

BENEFICIOS

Si ayer la noche se te fue de las manos, no hay excusa para no despertar y prepararse un buen batido verde. Créeme, lo mejor que le puedes dar al cuerpo es una buena hidratación y dosis de micronutrientes para salirte del carrusel y ponerte en pie. Esta mezcla de vegetales te aportará energía y te hidratará con su elevado contenido en agua, minerales como el potasio del plátano y el pepino, y todos los electrolitos del agua de coco. Las hojas verdes y el zumo de limón seguirán depurando tu organismo. El jengibre parará tus náuseas y subirá la energía, y la cúrcuma te aliviará el dolor de cabeza con su gran efecto antiinflamatorio.

Hulk Energy

INGREDIENTES

1 plátano
½ mango
dos puñados de espinacas
1 cucharadita de chía
1 ½ vasos de leXe de pipas de calabaza (receta en la página 110)

PREPARACIÓN

Lava las espinacas. Pela la mitad del mango, sepáralo del hueso y córtalo. Pela el plátano.

Vierte la leXe de pipas de calabaza en la batidora junto con las espinacas y la chía. Bate durante 3 segundos; después, agrega el resto de ingredientes y bate durante 5 segundos más o hasta deshacer todos los grumos si quieres una textura más fina.

BENEFICIOS

Saca energía de esta cremosa mezcla de plátano y mango, dos frutas ricas en azúcares naturales y almidones. Lo que acabará de darle el toque especial a este batido es su dosis de semillas de chía, estas diminutas bolitas ricas en ácidos grasos omega-3 y proteína completa que ya la cultura maya usaba como vigorizante antes de ir a las guerras o cazar. La leXe de pipas de calabaza le dará más cremosidad, minerales y proteínas vegetales; y las espinacas, entre muchas otras cosas, su color.

Toppings: *mango, plátano, semillas de chía, pipas de calabaza y hojas de espinacas.*

Frésame mucho

INGREDIENTES

10 fresas
1 ½ plátanos
½ cucharadita de canela
medio puñado de espinacas
1 ½ tazas de leXe de cáñamo (receta en la página 110)

PREPARACIÓN

Lava las espinacas y las fresas. Recuerda que no descartaremos el rabito de las fresas a menos que estén pasados. ¡Todo lo verde a dentro! Pela los plátanos.

Vierte la leXe de cáñamo en la batidora junto con las espinacas y bate durante 3 segundos. Después, agrega el resto de ingredientes y bate durante 5 segundos más o hasta deshacer todos los grumos si quieres una textura más fina.

BENEFICIOS

Este cremoso y nutritivo batido es perfecto para cuando tengamos antojos. La canela nos aportará ese toque dulce sin incorporar más azúcares que los de la fruta; además, la canela siempre provoca un efecto reconfortante, como el de los abrazos, lo que se necesita muchas veces en caso de antojos. Las fresas nos aportarán vitamina C y ácido fólico, una vitamina del grupo B que nos ayuda a regular la presión arterial y a prevenir la anemia. La leXe de cáñamo es densamente nutritiva y rica en ácidos grasos omega-3 y proteína completa, que nos proporcionará también un efecto saciante.

Toppings: *ramitas de canela, láminas de plátano, fresas y* muesli.

El muesli le dará un toque crujiente a este smoothie.

Cacao Pleasure

INGREDIENTES

2 plátanos
1 cucharada de cacao
2 dátiles Medjool
un puñado de espinacas
1 ½ tazas de leXe vegetal de avellana (receta en la página 110)

PREPARACIÓN

Lava las espinacas. Pela el plátano y deshuesa los dátiles.

Vierte la leXe de avellana en la batidora junto con las espinacas y bate durante 3 segundos. Después, agrega el resto de ingredientes y bate durante 5 segundos más o hasta deshacer todos los grumos si quieres una textura más fina.

BENEFICIOS

Este batido te llevará a esos días en los que mamá te preparaba las rebanadas de pan rebozadas de Nocilla o Nutella. Será como beberte a sorbitos o comerte a cucharadas esa crema de chocolate que a todos nos ha perdido alguna vez, pero, ahora... en su versión más saludable posible. Esta será una mezcla explosivamente energética, rica en azúcares naturales, minerales y antioxidantes y es que, ¿sabías que el cacao es uno de los superalimentos más antioxidantes y ricos en magnesio? ¿Sabías qué una ración de 28 gramos nos aporta tres veces más hierro que la dosis diaria recomendada?

Toppings: *trocitos de dátil, avellanas,* nibs *de cacao y espinacas.*

Acai Energy Bowl

INGREDIENTES

2 plátanos
6 fresas
50 g de acai en polvo
1 cucharada de miel cruda o sirope de arce
1 taza de leXe de almendras (receta en la página 110)
5 hojas de espinacas (opcional pero recomendado)

PREPARACIÓN

Lava las espinacas y las fresas. Recuerda que no descartaremos el rabito de las fresas a menos que estén pasados. Pela los plátanos.

Vierte la leXe de almendras en la batidora junto con las espinacas y bate durante 3 segundos. Después, agrega el resto de ingredientes y bate durante 5 segundos más o hasta deshacer todos los grumos si quieres una textura más fina.

BENEFICIOS

Déjate llevar por las olas y recupérate con un buen Acai Bowl, el típico y popular desayuno entre la tribu de los surfistas en las playas de Brasil y California. El acai es una superbaya propia del Amazonas con un poder antioxidante incluso mayor que los arándanos y muy rica en vitamina C. Es muy difícil encontrar la baya fresca, así que se suele usar en purés de su pulpa o en polvo liofilizada.

Toppings: *coco rallado, semillas de chía, maca,* muesli, *arándanos o moras y fresas.*

Sé generoso con los toppings. *Apuesto a que has visto muchísimas fotos de este bol en las redes con mil y un ingredientes de decoración. ¡Desata tu creatividad!*

Belly Bliss Smoothie

INGREDIENTES

1 pepino
2 ramas de apio
2 tomates grandes
½ aguacate
8 hojas de albahaca
2 cucharadas de levadura nutricional
una pizca de sal
1 taza de agua

PREPARACIÓN

Lava el apio, el pepino, los tomates y las hojas de albahaca. No peles el pepino ni los tomates si son de cultivo ecológico, solo córtalos a cuartos. Corta el aguacate por la mitad y pela la parte que quede sin hueso.

Vierte el agua en la batidora junto con todos los ingredientes menos el aguacate, y bate durante 3 segundos. Después, agrega el aguacate y bate durante 5 segundos más o hasta deshacer todos los grumos si quieres una textura más fina.

BENEFICIOS

Este batido o crema de verduras *raw* es un cofre de nutrición. Está repleto de minerales como el potasio, en el apio y el pepino, y de carotenos como el licopeno de los tomates. Se trata de un batido nutritivo que satisfará nuestro apetito a la vez que nos aportará efectos depurativos y un tanto laxantes. El toque de albahaca nos arrancará la sonrisa de las vacaciones en el Mediterráneo y no hay para menos... ¿Sabías que su consumo estimula la producción de serotonina? La levadura nutricional y el aguacate enriquecerán la mezcla con valiosos minerales, ácidos grasos y proteínas de origen vegetal, a la vez que le darán cremosidad.

Toppings: *tomate, aguacate, albahaca, sal del Himalaya y levadura nutricional.*

C Power

INGREDIENTES

1 plátano
1 taza de arándanos
2 hojas de kale
½ pepino
3 ramas de perejil
½ aguacate
un trozo pequeño de jengibre (del tamaño de la uña del dedo pulgar)
1 taza de zumo de naranja

PREPARACIÓN

Lava el pepino, las ramas de perejil, el trocito de jengibre y las hojas de *kale*. No peles el pepino si es de cultivo ecológico, solo córtalo a cuartos. Corta el aguacate por la mitad y pela la parte que quede sin hueso. Consigue el zumo de dos naranjas con el extractor de zumos.

Vierte el zumo de naranja en la batidora junto con la *kale*, el jengibre, el pepino y el perejil, y bate durante 3 segundos. Después, agrega el plátano y los arándanos y bate durante 5 segundos más o hasta deshacer todos los grumos si quieres una textura más fina.

BENEFICIOS

Este es uno de mis favoritos y, además, compartimos inicial. Este refrescante batido será nuestra medicina antirresfriados cuando el frío del otoño y el invierno nos aceche. Cargadito está de vitamina C, que encontramos en generosas dosis en los arándanos, la *kale*, el perejil y la naranja. El trocito de jengibre nos dará un buen chute de energía y nos ayudará a fortalecer nuestro sistema inmunológico.

Toppings: *cacao* nibs, *camu-camu y trocitos de naranja y de* kale.

La combinación de cacao con naranja es, sin duda, de mis preferidas. Una cucharadita de camu-camu reforzará la dosis de vitamina C.

Key Lime Pie

INGREDIENTES

1 aguacate
½ mango
3 dátiles Medjool
el zumo de 2 limas
1 taza de agua de coco

PREPARACIÓN

Exprime el zumo de dos limas con el extractor de zumos. Pela la mitad de un mango y sepárala del hueso. Deshuesa los dátiles. Pela y deshuesa el aguacate.

Vierte el agua de coco en la batidora junto con el resto de ingredientes y bate durante unos 8-10 segundos o hasta deshacer todos los grumos si quieres una textura más fina.

BENEFICIOS

Este batido me trae recuerdos de mi viaje a Key West y su típica tarta de lima. ADVERTENCIA: es un batido altamente cremoso y adictivo. Tiene un toque cítrico refrescante, pero con el dulce y la cremosidad del aguacate, el mango y los dátiles. Para aquellos que busquen un chute de energía sin ser empalagoso, esta es la opción.

Toppings: *rodajas de lima, trocitos de dátil y ralladura de piel de lima.*

Tropicana

INGREDIENTES

2 naranjas
½ mango
1 zanahoria
½ pepino
el zumo de ½ lima
½ taza de agua (opcional)

PREPARACIÓN

Exprime el zumo de media lima. Pela y corta a cuartos las naranjas. Limpia bien el pepino y la zanahoria. En este caso, sí pelaremos el pepino para evitar el color verde en la mezcla. Pela la mitad de un mango y sepárala del hueso.

Dispón todos los ingredientes en la batidora y bate durante 5 segundos. Si ves que la consistencia es demasiado puré, agrégale media taza de agua y bate durante 5-8 segundos más.

BENEFICIOS

Y es que el color naranja y el sabor dulce siempre nos llevan a los trópicos. Este batido no tiene ni plátano ni aguacate, así que se trata de una mezcla más ligera que las anteriores aunque, sin duda, energética. La combinación de los cítricos con el mango y la zanahoria lo hace muy refrescante.

Toppings: *lúcuma en polvo, láminas de mango y ralladura de piel de lima o de naranja.*

La lúcuma es una baya típica del Perú muy rica en vitamina C y con un sabor dulce.

MIN
ON/OFF
MAX
POWER
ON OFF

Berry Pom

INGREDIENTES

1 taza de fresas
1 plátano
½ taza de semillas de granada
6-8 hojas de albahaca
1 taza de agua de coco

PREPARACIÓN

Saca las semillas de media granada. Limpia las hojas de albahaca y las fresas y recuerda que no les quitaremos el rabillo. Pela el plátano.

Vierte el agua de coco en la batidora junto con todos los ingredientes y bate durante 8 segundos o más.

BENEFICIOS

Este batido es un tanto particular, ya que es una mezcla de toques mediterráneos poco comunes. La granada y la albahaca son espectaculares antioxidantes. En particular, las semillas de color rubí de la granada se conocen por sus propiedades anticancerígenas, pues frenan la proliferación de células tumorales. También ayudan a prevenir dolores articulares y contribuye a la salud cardiovascular.

Toppings: *semillas de granada y camu-camu en polvo.*

Ricura verde

INGREDIENTES

½ aguacate
1 pera
½ taza de cabezas de brócoli (pueden usarse congeladas)
un puñado de espinacas
el zumo de ½ lima
3 dátiles
1 taza de agua de coco

PREPARACIÓN

Limpia las cabezas de brócoli y las espinacas. Corta el aguacate en mitades y pela la parte sin hueso. Pela la pera, sácale las semillas y córtala a tacos. Extrae el zumo de media lima. Deshuesa los dátiles.

Vierte el agua de coco en la batidora junto con el brócoli y las espinacas y bate durante 3 segundos. Después, agrega el resto de ingredientes y bate durante 5 segundos más o hasta tener una consistencia más fina si no queremos grumos.

BENEFICIOS

En este batido la estrella es el brócoli, un vegetal de la familia de las coles, altamente rico en fibra, vitamina C y con potentes propiedades anticancerígenas. El dulzor de la pera y los dátiles casa bien con el toque salado de los vegetales. ELl aguacate le añade cremosidad y la lima, el toque de frescura.

Toppings: *pistachos, pera y cabezas de brócoli.*

Harvest Pie

INGREDIENTES

2 tazas de calabaza a cuadraditos o 1 taza de puré de calabaza
1 plátano
3 dátiles
¼ de cucharadita de canela
¼ de cucharadita de jengibre en polvo
una pizca de nuez moscada
una pizca de clavo
una pizca de sal
1 taza de leXe de cáñamo (receta en la página 110)

Toppings: *castañas, piñones, canela en polvo y ralladura de calabaza.*

PREPARACIÓN

Prepara el puré o corta la calabaza en taquitos. Pela el plátano y deshuesa los dátiles.

Vierte la leXe de cáñamo en la batidora junto con todos los ingredientes y bate durante 8 segundos o más hasta tener una consistencia más fina si no quieres grumos.

BENEFICIOS

Se trata de un batido muy otoñal. A mí me recuerda los días previos a Acción de Gracias o básicamente a todo Estados Unidos entero en estas fechas, donde el dulce aroma a canela parece impregnar las ciudades. Este batido especial y bien especiado podría ser perfectamente un postre de gala. La calabaza será su ingrediente estrella, una fruta rica en betacarotenos que nos ayudará a proteger nuestra piel y mucosas. Podremos usarla en crudo, aunque si quieres una textura más cremosa, te recomiendo hervirla durante unos 15 minutos y hacer puré de ella.

Rouge Performance

INGREDIENTES

1 raíz de remolacha
½ taza de frambuesas
1 plátano
un puñado de espinacas
1 cucharada de semillas de cáñamo
un trocito de cúrcuma (del tamaño de la uña del dedo pulgar)
1 taza de leXe de arroz

PREPARACIÓN

Lava la remolacha, la raíz de cúrcuma, las frambuesas y las hojas de espinacas. Pela el plátano.

Vierte la leXe de arroz en la batidora junto con todos los ingredientes excepto el plátano y las frambuesas y bate durante 3 segundos. Después, agrega el resto de ingredientes y bate durante 5 segundos más o hasta tener una consistencia más fina.

BENEFICIOS

Este batido será una muy buena opción antes de ir al gimnasio. Te dará la energía que necesitas para rendir al máximo, aunque, eso sí, es muy fácil de digerir. El ingrediente estrella será la remolacha, una raíz rica en nitratos, los cuales mejoran la circulación del oxígeno y la sangre hacia los músculos. Las semillas de cáñamo serán una muy buena fuente de proteína completa y ácidos grasos esenciales omega-3, perfectos para una buena recuperación muscular. La cúrcuma nos protegerá las articulaciones y la musculatura frente a inflamaciones.

Toppings: *semillas de cáñamo y frambuesas, moras o arándanos.*

Green Shower

INGREDIENTES

1 plátano
1 rama de apio
un puñado de espinacas
1 cucharada de proteína de guisante en polvo
un trocito de jengibre (del tamaño de la uña del dedo pulgar)
1 taza de agua de coco

PREPARACIÓN

Lava el apio, las espinacas y el trocito de raíz de jengibre. Pela el plátano.

Vierte el agua de coco en la batidora junto con todos los ingredientes excepto el plátano y la proteína de guisante, y bate durante 3 segundos. Después, agrega el resto de ingredientes y bate durante 5 segundos más o hasta tener una consistencia más fina.

BENEFICIOS

Este batido nos rehidratará después de realizar un ejercicio de cardio y resistencia. Además, un *smoothie* será la opción más fácil, rápida y nutritiva que prepararte al llegar a casa después de hacer ejercicio físico, cuando te sientes cansado y no tienes ni idea de qué elegir de la nevera. Tómate y saborea el *smoothie* mientras piensas en el menú, si es que aún te queda sitio en el estómago, ya que muchos de los batidos podrían saciarte y alimentarte perfectamente como si de una comida de tres platos se tratara...

Con este batido recuperaremos los electrolitos perdidos con el sudor: el sodio del apio, el potasio del plátano y el magnesio de las espinacas. Todo mezclado con agua de coco, que nos aportará más electrolitos y nos hidratará hasta la última célula. Agrégale una cucharada de proteína de guisante para reparar esos microtejidos dañados durante el ejercicio y ganar en una mayor recuperación.

Green Muscle

INGREDIENTES

2 plátanos
5 hojas de kale
1 cucharada de manteca de sésamo o de tahini
2 cucharadas de semillas de cáñamo
2 tazas de leXe de almendras *(receta en la página 110)*

PREPARACIÓN

Lava las hojas de *kale* y pela los plátanos.

Vierte la leXe de almendras en la batidora junto con las hojas de *kale* y bate durante 3 segundos. Después, agrega el resto de ingredientes y bate durante 5 segundos más o hasta tener una consistencia más fina.

BENEFICIOS

Este batido es perfecto para la recuperación después de hacer ejercicios de musculación. Esta mezcla nos aporta una altísima cantidad de aminoácidos y proteínas completas de origen vegetal, a la vez que son una muy buena fuente de ácidos grasos esenciales omega-3. El *tahini*, o pasta de sésamo, destaca, entre otras cosas, por su elevado contenido en calcio, ideal para reparar el desgaste óseo.

Toppings: *bayas de goji, plátano, almendras y semillas de cáñamo.*

Green Recovery

INGREDIENTES

½ aguacate
1 taza de nueces
1 ½ tazas de leXe de cáñamo (receta en la página 110)
3 hojas de kale
3 dátiles sin hueso

PREPARACIÓN

Lava las hojas de *kale* y pela la mitad del aguacate. Deshuesa los dátiles.

Vierte la leXe de cáñamo en la batidora junto con las hojas de *kale* y bate durante 3 segundos. Después, agrega el resto de los ingredientes y bate durante 5 segundos más o hasta tener una consistencia más fina.

BENEFICIOS

Igual que el Green Muscle, se trata de un batido perfecto para la recuperación después de hacer ejercicios de musculación. Su mezcla de ingredientes nos aporta una altísima cantidad de aminoácidos y proteínas completas de origen vegetal, a la vez que es una muy buena fuente de ácidos grasos esenciales omega-3. Las nueces serán también una rica aportación de grasas poliinsaturadas, necesarias para la restauración muscular.

Toppings: *trocitos de dátil, de aguacate y nueces.*

Ball

La vie en rose

INGREDIENTES

1 plátano
1 taza de frambuesas
2 cucharadas de proteína de guisante
1 taza de leXe de avena

PREPARACIÓN

Lava las frambuesas y pela el plátano.

Vierte la leXe de avena en la batidora junto con el resto de ingredientes y bate durante 8 segundos o hasta tener una consistencia más fina.

BENEFICIOS

Este batido será otro más en la lista para llevarnos al gimnasio dentro de un tarro de cristal o termo, y tomarlo de camino o al finalizar el ejercicio. Esta mezcla nos aportará una buena cantidad de azúcares naturales y proteínas vegetales, necesarias durante y después de la práctica del deporte.

Toppings: *frambuesas, arándanos, guisantes, coco rallado y maca.*

Unplug

INGREDIENTES

4 hojas de lechuga romana
1 manzana
un puñado de canónigos
½ cucharadita de canela en polvo
1 ½ tazas de leXe de avena

PREPARACIÓN

Lava los canónigos, la lechuga y la manzana. No hace falta que peles la manzana si es de cultivo ecológico, pero córtala a octavos y quítale el corazón.

Vierte la leXe de avena en la batidora junto con los canónigos y la lechuga y bate durante 3 segundos. Después, agrega el resto de ingredientes y bate durante 5 segundos más o hasta tener una consistencia más fina.

BENEFICIOS

Este batido puede suplir tu cena si te encuentras en una de esas noches en las que estás más que cansado, no tienes ganas ni fuerzas para cocinar, y lo que más te apetece es irte a la cama. Desconecta del trabajo y de las obligaciones, prepárate un Unplug y a dormir. ¿Sabías que los canónigos son parientes de la valeriana? Ideales para relajarte y dormir como un lirón.

Toppings: *una ramita de canela, láminas de manzana y canónigos.*

¿Sabías que los canónigos son parientes de la valeriana? Ideales para relajarte y dormir como un tronco.

Sweet Dreams

INGREDIENTES

½ taza de arándanos
½ pera
un puñado de espinacas
½ cucharadita de vainilla en rama
1 ½ tazas de leXe de almendras (receta en la página 110)

PREPARACIÓN

Lava las espinacas y los arándanos. Pela la pera, extráele el corazón y córtala a tacos.

Vierte la leXe de almendras en la batidora junto con las espinacas y bate durante 3 segundos. Después, agrega el resto de ingredientes y bate durante 5 segundos más o hasta tener una consistencia más fina.

BENEFICIOS

Este batido puede tomarse a todas horas, pero sí es cierto que nos ayudará a encender el modo *off* del cuerpo si esto es lo que buscamos. El sabor dulce de la pera casa perfectamente con los arándanos, y el toque de vainilla con la leXe de almendras te acurrucará el alma. Se trata de un batido ideal también para cuando nos entra antojo de algo dulce y cremoso.

Toppings: *arándanos, pera, vainilla en su vaina y flores comestibles.*

Stress Buster

INGREDIENTES

un puñado de rúcula
½ pepino
½ aguacate
1 pera
1 ½ vasos de agua de coco

PREPARACIÓN

Lava la rúcula, el pepino y la pera. No hace falta que peles el pepino ni la pera si son de cultivo ecológico, aunque sí córtalos a tacos y retira el corazón de la pera. Parte el aguacate por la mitad y pela el trozo que no tiene hueso.

Vierte el agua de coco en la batidora junto con la rúcula y el pepino y bate durante 3 segundos. Después, agrega el resto de ingredientes y bate durante 5 segundos más o hasta tener una consistencia más fina.

BENEFICIOS

¡Relájate! Prepárate este batido y tómate tiempo para ti. Respira. Todo está bien, y todo se hará. No te agobies y cuídate, porque si tú no estás bien, nada ni nadie hará o solucionará aquello que te preocupa. Abre la nevera y saca los siguientes ingredientes y cálmate, tranquilízate y descansa. La rúcula, ingrediente estrella en este *smoothie*, tiene propiedades reguladoras del sueño, así que te ayudará a conciliarlo y a apagar esta *monky-mind* o «mente saltarina».

Toppings: *hojas de rúcula, trocitos de pera, baobab en polvo y una pizca de nuez moscada o canela.*

Green Me Up

INGREDIENTES

1 manzana
5 hojas de col kale
1 rama de apio
½ pepino

Topping *opcional*:
1 cucharadita de clorela.

La clorela reforzará su efecto depurativo y remineralizante.

PREPARACIÓN

Lava todos los ingredientes. No hace falta que peles el pepino ni la manzana si son de cultivo ecológico. Conserva las hojas del apio y el tallo de las hojas de *kale*, ya que el extractor puede sacarles también su zumo. A continuación, trocéalos todos según el tamaño de la boca de tu extractor de zumos.

Introduce los ingredientes uno tras otro en el extractor hasta que obtengas el zumo. Debes dejar el apio para el final, e incluso si al cortarle las puntitas puedes arrastrar y descartar alguno de sus hilos, mejor, de este modo reduciremos la posibilidad de atascos en los filtros del Cold Press. El zumo irá llenando la jarra hasta terminar todos los ingredientes. Consúmelo enseguida.

BENEFICIOS

Este zumo es una versión más *light* de mi favorito Glory Morning (receta que encontrarás en mi libro *Zumos verdes*), pero con igual efecto depurativo y alcalinizante. Las hojas de col *kale* le dan al zumo consistencia y un intenso sabor vegetal. La sensación de que estás limpiando y nutriendo todas tus células seguro que no te va a faltar con este concentrado antioxidante de clorofila.

Purify

INGREDIENTES

1 pepino
1 manzana Granny
½ limón
1 cucharadita de hierba de trigo (opcional)

PREPARACIÓN

Lava el pepino y la manzana. Si son ecológicos, no hace falta que los peles. Pela el limón, aunque puedes dejar trocitos de su corteza si quieres potenciar la presencia de su sabor en el zumo. A continuación, trocéalos todos según el tamaño de la boca de tu extractor de zumos.

Introduce los ingredientes uno tras otro en el extractor hasta que obtengas el zumo. Consúmelo enseguida.

BENEFICIOS

Este refrescante y ligero zumo nos ayudará a hidratar el cuerpo cuando tengamos sed. Será una versión *healthy* de la limonada veraniega, con más efecto diurético, alcalinizante y más rico en minerales embellecedores como el magnesio, el cobre y el manganeso.

El topping *de hierba de trigo le subirá el color verde, pero, sobre todo, le dará un efecto más depurativo y alcalinizante.*

Digestive Cleanse

INGREDIENTES

2 raíces de remolacha
2 ramas de apio
½ pepino
¼ de limón

Topping *opcional*:
1 cucharada de chía.

Las semillas de chía le suman el efecto «limpieza» debido a su fibra soluble.

PREPARACIÓN

Lava el pepino, la remolacha y el apio. No hace falta que peles el apio si es de cultivo ecológico; déjale las hojas. Pela las partes más rugosas o «feas» de la remolacha que no hayas podido limpiar bien ni con el cepillo de vegetales. Pela el limón y córtalo a cuartos. A continuación, trocea todos los ingredientes según el tamaño de la boca de tu extractor de zumos; no hace falta que cortes las ramas de apio.

Introduce los ingredientes uno tras otro en el extractor hasta que obtengas el zumo. Debes dejar el apio para el final, e incluso si al cortarle las puntitas puedes arrastrar y descartar alguno de sus hilos, mejor, de este modo reduciremos la posibilidad de atascos en los filtros del Cold Press. Consúmelo enseguida.

BENEFICIOS

La remolacha tiene un efecto depurativo muy efectivo a nivel gastrointestinal, un tanto laxante. Además, su contenido en betalina, necesaria en la fase 2 del proceso natural de depuración del organismo, hace que sea una muy buena opción en caso de querer reforzar la expulsión de toxinas del cuerpo.

Red Mineral Cocktail

INGREDIENTES

3 tomates
2 ramas de apio
½ pepino
½ pimiento rojo
1 cucharadita de aceite de lino/de oliva virgen extra
ajo negro y copos de alga dulse (opcionales)

Incorpórale medio diente de ajo negro si quieres potenciar su sabor, y de paso, reforzar tu sistema inmunológico; o decóralo con unos copos de alga dulse para agregarle más minerales y darle otro toque más saladito.

PREPARACIÓN

Lava todos los ingredientes. No hace falta que peles el pepino ni los tomates si son de cultivo ecológico. Conserva las hojas del apio y retira las pepitas del pimiento. A continuación, trocéalos todos según el tamaño de la boca de tu extractor de zumos.

Introduce los ingredientes uno tras otro en el extractor hasta que obtengas el zumo, pero deja el apio para el final. Consúmelo enseguida.

BENEFICIOS

Este zumo «verde» es un tanto «salao'», perfecto para empezar una comida como si de un consomé se tratara, o perfecto si estás buscando una opción casi sin azúcares. Ideal para candidiasis o diabetes. Esta mezcla de vegetales es una muy buena fuente remineralizante de potasio, magnesio, manganeso, cobre y carotenos, sobre todo el licopeno del tomate y pimiento rojo, que se absorberá siempre mejor acompañado de una poquito de grasa, por eso le agregamos el aceite de oliva o lino. ¡Todo para aprovechar al máximo los nutrientes de este fabuloso elixir!

Berry Booster

INGREDIENTES

dos puñados de moras negras/arándanos
1 pepino
½ limón
1 manzana

PREPARACIÓN

Lava todos los ingredientes menos el limón. No hace falta que peles el pepino ni la manzana si son de cultivo ecológico. Pela el limón. A continuación, trocéalos todos según el tamaño de la boca de tu extractor de zumos.

Introduce los ingredientes uno tras otro en el extractor hasta que obtengas el zumo. Consúmelo enseguida.

BENEFICIOS

Este zumo «verde» es una auténtica inyección de antioxidantes, y su color puede darnos alguna pista. Cuanto más intenso y/u oscuro, más rico será en pigmentos antioxidantes; en este caso de antocianina, que da el color azul intenso a los arándanos (el mismo que en el vino tinto). Además, los frutos silvestres, el limón, y el pepino son ricas fuentes de vitamina C, el antioxidante por excelencia. La manzana nos dará el toque dulce en este zumo, de lo contrario podría resultar un tanto amargo y ácido. Se trata de un zumo ideal para limpiar las vías urinarias, tratar la cistitis o eliminar cálculos renales/piedras en los riñones.

Topping *opcional*:
1 cucharadita de lúcuma.

La lúcuma contribuirá a aumentar el toque dulce en el zumo.

Happy Belly

INGREDIENTES

2 rodajas de piña
¼ de col blanca
2 ramas de hinojo
3 hojas de menta
2 cucharadas de zumo de aloe vera o un trocito de gel de aloe vera (2 cm de ancho) (opcional)

Será opcional agregarle aloe vera, en forma de chupito o en un taco de hoja (sin la cáscara, solo el gel). Esta maravillosa planta tiene efectos calmantes y cicatrizantes de las paredes intestinales.

PREPARACIÓN

Corta dos rodajas de piña y descarta la corteza, pero conserva la parte del tronco/centro. Lava el resto de ingredientes. A continuación, trocéalos todos según el tamaño de la boca de tu extractor de zumos.

Introduce los ingredientes uno tras otro en el extractor hasta que obtengas el zumo. Consúmelo enseguida.

BENEFICIOS

Este zumo es un mejunje de ingredientes, todos ellos con propiedades prodigestivas. La col, rica en calcio y vitamina C, nos ayuda a proteger las paredes intestinales, reconstituyendo sus tejidos y aportando un efecto calmante si sufres de irritabilidad. El hinojo se conoce también como la pomada para cualquier tipo de alteración gastrointestinal, ya que estimula la secreción de la bilis, lo que nos puede ayudar a aliviar las digestiones. La piña tiene incorporadas «de serie» enzimas activas (bromelina) que facilitan la digestión, y la menta, no solo agilizará el proceso, sino que nos dará un buen toque refrescante. Como decía mi abuelo, este zumo sí es *Cura sana, cura sana...*

Young Wine

INGREDIENTES

3 tazas de uva negra
4 hojas de kale
un trocito de jengibre
¼ de limón

Topping *opcional*:
1 cucharadita de acai en polvo.

El acai aumentará su contenido en vitamina C y oscurecerá más su color para que nos quede un zumo a medio camino de tinto.

PREPARACIÓN

Lava todos los ingredientes. No retires el tallo de las hojas de *kale*, el extractor se lo puede «comer» y sacarle también su zumo. Tampoco hace falta que peles el jengibre o que saques las pepitas de las uvas. Pela el limón. A continuación, trocéalo todo según el tamaño de la boca de tu extractor de zumos.

Introduce los ingredientes uno tras otro en el extractor hasta que obtengas el zumo. Consúmelo enseguida.

BENEFICIOS

Este zumo nos dará todas las buenas propiedades que se le atribuyen al vino tinto, altamente antioxidante por su contenido en flavonoides antocianinas en la uva morada, cardioprotector, vasodilatador y sin olvidar el toque *¡high!*, en este caso sin alcohol, con nuestro amigo el jengibre. Es un zumo indicado para subir las defensas y darnos un buen chute de energía instantáneo.

Antiinflamatory Orange Morning

INGREDIENTES

1 pomelo rosado
5 zanahorias
un trocito de raíz de cúrcuma
un trocito de raíz de jengibre

Topping *opcional*:
1 cucharadita de polen de abeja.

Le agregaremos el polen de abeja para seguir con la tónica del color, aumentar la cantidad de proteínas, de betacarotenos y la dulzura...

PREPARACIÓN

Lava las zanahorias y los trocitos de cúrcuma y jengibre. Pela el pomelo. A continuación, trocea todos los ingredientes según el tamaño de la boca de tu extractor de zumos.

Introduce, en este orden, las zanahorias, las raíces y el pomelo en el extractor hasta que obtengas el zumo. Consúmelo enseguida.

BENEFICIOS

Este zumo es un auténtico jarabe. El pomelo nos ayuda a depurar el cuerpo, y el aceite esencial de sus semillas tiene grandes propiedades antisépticas que nos permitirán combatir bacterias y virus. La cúrcuma será nuestro ibuprofeno natural, un potente antiinflamatorio, cargado de antioxidantes con propiedades alcalinizantes y anticancerígenas para aliviar dolores en nuestras articulaciones y agilizar las digestiones. El jengibre nos dará un chute de energía y reforzará las defensas. Y la zanahoria..., armonizará el sabor de la mezcla y le dará ese toque naranja de vida (presencia de betacarotenos). Con este zumo no habrá quien te hunda.

Suave con C

INGREDIENTES

1 pomelo rosado
¼ de col lombarda
un trocito de jengibre

PREPARACIÓN

Lava la col y el trocito de jengibre. Pela el pomelo. A continuación, trocéalo todo según el tamaño de la boca de tu extractor de zumos.

Introduce, en este orden, la col, el jengibre y el pomelo en el extractor hasta que obtengas el zumo. Consúmelo enseguida.

BENEFICIOS

Hay quien encuentra el zumo de pomelo demasiado ácido, pero no por eso debemos prescindir de sus buenas propiedades, sino que, experimentando con diferentes mezclas, podemos suavizar su sabor. Si mezclamos este zumo con col, veremos muy rebajada esa acidez y será mucho más suave y placentero para los paladares más dulces. Este zumo nos da una superdosis de vitamina C, y es perfecto para épocas de resfriados y gripes. El jengibre nos ayudará a mantenernos despiertos y estimulará nuestro sistema inmunológico. Vamos, que tendrás una salud invencible.

Topping *opcional*:
1 cucharadita de baobab.

El baobab aportará a este zumo un extra de calcio y vitamina C.

Granadina Power

INGREDIENTES

las semillas de ½ granada
1 naranja
3 hojas de kale
un trocito de jengibre

Topping *opcional*:
1 cucharada de noni.

El noni es otro superalimento con importantes propiedades anticancerígenas. Incorporaremos un chupito en el zumo o una cucharadita, si lo encontramos en polvo.

PREPARACIÓN

Lava las hojas de *kale* y el trocito de jengibre. No retires el tallo de las hojas de *kale*, ya que el extractor se lo puede «comer» y sacarle también su zumo. Pela la naranja y separa las semillas de la granada de su corteza. A continuación, trocéalo todo según el tamaño de la boca de tu extractor de zumos.

Introduce, en este orden, las semillas, la raíz, las hojas de *kale* y el pomelo en el extractor hasta que obtengas el zumo. Consúmelo enseguida.

BENEFICIOS

Un alimento de temporada como es la granada debemos aprovecharlo, y en cantidad, cuando la naturaleza nos lo ofrece, pues se trata de una superfruta con grandes propiedades cancerígenas y altamente antiinflamatorias, el mal físico de muchos. Además, tiene efectos cardioprotectores, ya que nos ayuda a reducir los niveles de LDL, el colesterol malo. Y no solo las colas de pasas, también estas semillas nos ayudarán a estimular nuestra memoria.

LeXe vegetal estándar

INGREDIENTES

1 taza de frutos secos o de semillas (previamente en remojo 8-12 horas)
1 l de agua
una pizca de sal
3-4 dátiles sin hueso (opcional)
1 cucharadita de extracto de vainilla (opcional)

Puedes sustituir el agua por agua de coco; esta ya es dulce, así que es posible que no necesites los dátiles.

Las leXes se guardarán en un tarro de cristal cerrado herméticamente y en la nevera. Durarán hasta 3 días.

Guarda la pulpa para preparar deliciosas recetas como las que encontrarás en el próximo apartado.

Esta será la receta estándar a la que recurriremos cuando queramos preparar cualquier tipo de leXe vegetal. Siempre usaremos estas mismas proporciones independientemente de qué tipo de fruto seco o semilla se use. Lo que sí variará será la cantidad de edulcorante o especias según la preferencia de cada uno.

Para preparar una leXe más ligera (y a la vez más económica), agregaremos entre media y una taza taza más de agua.

Siempre pondremos en remojo los frutos secos y semillas durante unas 8-12 horas antes de preparar la leXe; de este modo, eliminaremos el ácido fítico. Este ácido puede afectar en la absorción de los minerales que encontramos en las semillas y frutos secos. Una vez transcurrido este tiempo, descartaremos el agua del remojo y volveremos a enjuagar los frutos secos.

PREPARACIÓN

Con batidora + bolsa/malla para hacer quesos y leXes veganos: pon todos los ingredientes dentro de la jarra y bátelos durante 15-20 segundos.

A continuación, vierte la mezcla en la malla, que estará dentro de un cuenco, cierra la abertura de la bolsa y escúrrela con las manos, como si ordeñaras una vaca.

Con extractor de zumos Cold Press: conecta la máquina e introduce a la vez y despacio los frutos secos y el agua por la abertura. En una jarra te quedará la leXe, y en la otra, la pulpa.

Hemp Chai Latte

1 taza de semillas de cáñamo
3 saquitos de té chai *abiertos (6 g)*
3 dátiles sin hueso
una pizca de sal
4 tazas de agua

Como fan número 1 de los té *chai*, después de viajar y probar mil y una variedades en *latte*, me quedo con esta mezcla. La cremosidad de la leXe de cáñamo con los aromas ayurvédicos del *chai* la hacen especial.

PREPARACIÓN: Sigue el mismo procedimiento de elaboración que el de la leXe vegetal estándar según el utensilio que uses para hacerla.

LeXe Green

1 taza de almendras
un puñado de canónigos
4 dátiles
una pizca de sal
4 tazas de agua
extracto de vainilla (opcional)

No me podría quedar igual si no propusiera una leXe de nuestro color favorito. ¡Verde que te quiero verde!

PREPARACIÓN: Sigue el mismo procedimiento de elaboración que el de la leXe vegetal estándar según el utensilio que uses para hacerla.

LeXe Golden

1 taza de avellanas
2 cucharadas de miel
2 cucharadas de cúrcuma en polvo
una pizca de pimienta negra molida
4 tazas de agua
una pizca de cardamomo (opcional)

Ya decía mi abuela que un vaso de leche antes de acostarse lo cura todo. Aquí te traigo la nueva versión, una leXe de cúrcuma superantioxidante y antiinflamatoria.

PREPARACIÓN: Sigue el mismo procedimiento de elaboración que el de la leXe vegetal estándar según el utensilio que uses para hacerla.

Crackers saladas

INGREDIENTES

25 crackers

2 tazas de pulpa (del zumo verde que quieras, cuanto menos vegetales fibrosos —apio o kale*—, más agradable será la textura)*
½ taza de semillas de chía o semillas de lino molidas
3 cucharadas de salsa tamari o aminos
1 cucharadita de curry o ajo en polvo, u orégano, o hierbas provenzales (al gusto)
pimienta negra en polvo (al gusto)
¼ de taza de agua (agregar más si conviene)

PREPARACIÓN

Mezcla todos los ingredientes, menos el agua, en un procesador de alimentos o robot de cocina. A continuación, vierte despacio el agua; debe ser la suficiente para que la mezcla sea moldeable y fácil de extender. (La cantidad de agua variará según lo seca que sea la pulpa.)

Si tienes deshidratador, extiende la masa sobre un papel de deshidratado con un grosor de unos 5 milímetros. Con un cuchillo, haz cortes en la masa con la forma y el tamaño que quieras darle a las *crackers*. Deshidrátalas durante 4 horas a 45 °C. Transcurrido este tiempo, dales la vuelta y sigue la deshidratación 4 o 5 horas más hasta que las *crackers* estén crujientes. El tiempo siempre variará según la humedad de la masa.

Si usas el horno, precaliéntalo a 150 °C. Extiende la masa sobre un papel de horno con un grosor de unos 5 milímetros. Con un cuchillo, haz cortes en la masa con la forma y el tamaño que quieras darle a las *crackers*. Hornéalas durante unos 35 minutos o hasta que estén crujientes; debes darles la vuelta a mitad del horneado.

Esta masa también puede ser la base de tus pizzas.

Galletas veggie dulces

INGREDIENTES

30 galletas

2 tazas de pulpa (del zumo verde que quieras, cuanto menos vegetales fibrosos —apio o kale*— más agradable será la textura)*
¼ de taza de semillas de chía o semillas de lino molidas
¼ de taza de copos de avena
6 dátiles medjool
1 cucharadita de canela
una pizca de sal
¼ de taza de agua (agregar más si conviene)

PREPARACIÓN

Mezcla todos los ingredientes, menos el agua, en un procesador de alimentos o robot de cocina. A continuación, vierte despacio el agua; debe ser la suficiente para que sea moldeable y fácil de extender. (La cantidad de agua variará según lo seca que sea la pulpa.)

Si tienes deshidratador, extiende la masa sobre un papel de deshidratado con un grosor de unos 5 milímetros. Con un cuchillo, haz cortes en la masa con la forma y el tamaño que quieras darle a las galletas. Deshidrátalas durante 4 horas a 45 °C. Transcurrido este tiempo, dales la vuelta y sigue la deshidratación 4 o 5 horas más hasta que las galletas estén crujientes. El tiempo siempre variará según la humedad de la masa.

Si usas el horno, precaliéntalo a 150 °C. Extiende la masa sobre un papel de horno con un grosor de unos 5 milímetros. Con un cuchillo, haz cortes en la masa con la forma y el tamaño que quieras darle a las galletas. Hornéalas durante unos 35 minutos o hasta que las estén crujientes; debes darles la vuelta a la mitad del horneado.

Hamburguesas vegetales

INGREDIENTES

5 hamburguesas – hacerlas con pulpa de un zumo con remolacha

1 taza de pulpa de zumo
1 taza de cebolla picadita
1 taza de quinoa cocida
¼ de taza de semillas de sésamo
1 cucharada de semillas de chía
2 cucharadas de aceite de oliva virgen extra o coco
una pizca de sal
1 cucharadita de ajo en polvo (opcional)
1 cucharadita de pimienta negra (opcional)
1 cucharadita de orégano seco (opcional)
¼ o ½ taza de agua

PREPARACIÓN

Precalienta el horno a 200 ºC.

En una sartén, calienta una cucharada de aceite y dora la cebolla durante 5 minutos.

Introduce las semillas de sésamo, el ajo en polvo, la pimienta negra y la sal en un procesador de alimentos o robot de cocina y tritúralo todo. Después, agrega la pulpa del zumo, la quinoa, las semillas de chía, el orégano y el agua, y sigue triturándolo hasta obtener una masa homogénea y moldeable para darle forma de hamburguesa.

Con la masa, modela cinco hamburguesas y ponlas encima de un papel de horno. Hornéalas durante 30 minutos o hasta que queden doradas; debes darles la vuelta a mitad de la cocción.

Se puede sustituir la quinoa por arroz integral.

Bolitas energéticas

INGREDIENTES

15 bolitas

1 taza de pulpa de almendras, o anacardos, o avellanas
1 cucharadita de aceite de coco (no es necesaria si se usan anacardos)
una pizca de sal
1 taza de dátiles Medjool (sin hueso)
2 cucharadas de cacao en polvo (opcional)

Decoración: *puedes rebozar las bolitas con cacao en polvo, té matcha, polen de abeja o ralladura de coco.*

Estas bolitas se pueden congelar y conservar durante meses. Siempre tendrás un delicioso y tentador snack *a mano.*

PREPARACIÓN

Vierte todos los ingredientes en un procesador de alimentos hasta obtener una masa homogénea.

A continuación, haz bolitas de unos 3 centímetros de diámetro con la masa y rebózalas con la decoración que prefieras.

Guárdalas en la nevera un mínimo de 30 minutos antes de servirlas.

Muffins mini

INGREDIENTES

20 unidades

½ taza de pulpa de zumo
¼ de taza de sirope de arce
¼ de taza de aceite de coco
¼ de taza de compota de manzana o 1 manzana horneada y triturada (sin piel ni hueso)
1 ½ tazas de harina libre de gluten (arroz, avena, garbanzo, trigo sarraceno, etc.)
1 cucharadita de levadura
½ cucharada de canela
una pizca de sal

Se pueden ag regar algunos nibs *de cacao o semillas a la masa antes de verterla en el molde.*

PREPARACIÓN

Precalienta el horno a 350 ºC.

Engrasa con aceite de coco un molde para *muffins* pequeñas.

Dispón en un bol grande la pulpa, el sirope de arce, el aceite de coco, y la compota de manzana, y mézclalo todo bien.

A continuación, incorpora la harina, la levadura, la canela y una pizca de sal. Mézclalo bien hasta obtener una masa densa y homogénea.

Vierte la masa en los diferentes compartimentos del molde y hornea durante 10-12 minutos.

Cuscús de almendras

INGREDIENTES

2 tazas de pulpa de almendra
2 tomates
¼ de cebolla morada
8 ramitas de perejil
el zumo de 1 limón
una pizca de sal
una pizca de pimienta negra
2 cucharadas de aceite de oliva virgen extra

PREPARACIÓN

Dispón la pulpa de almendra en un bol.

Corta en juliana los tomates, la cebolla y el perejil, y agrégalos al bol con la pulpa de las almendras. Mézclalo todo bien con una cuchara de madera.

Para terminar, alíñalo y sazónalo con el zumo de limón, el aceite, la sal y la pimienta negra. Mézclalo todo bien.

Este cuscús está pensado para ser guarnición de platos principales o para agregar en las ensaladas.

Tres días para renovarte

En este capítulo te propongo mimarte. ¡Sí, sí, lo has leído bien! Mimarte por dentro y por fuera con tres días a base de batidos y zumos verdes. Será una oportunidad para darle a tu paladar un festín de sabores, y a tu estómago, unas merecidas vacaciones.

Este reto no consiste, para nada, en pasar hambre, sino en nutrir el cuerpo; en celebrar la abundancia de nutrientes, ganar energía y radiar vitalidad. Así que va dirigido a todos los públicos: desde los que seriamente necesitan limpiar su alimentación, deshincharse, reeducar el paladar y reducir las porciones desmesuradas de comida en los platos, o para los que quieran adoptar un hábito y una rutina matutina de preparar batidos verdes, hasta los más coquetos, que buscan tener una piel del rostro más libre de impurezas y rejuvenecida. Sea cual sea tu propósito, de lo que estoy segura es de que este reto te despertará las ganas de cuidarte, de organizar tu alimentación y de sentirte mejor.

En la página 125 encontrarás el menú diario en el que he pautado los dos zumos y los tres batidos que tomar cada día. No olvides que lo que más cuenta en esta depuración es la calidad y textura de los alimentos que ingerimos, y no la cantidad. Con esto quiero decir que si crees conveniente prepararte un porción extra de batido o zumo... ¡adelante! No quiero que te estés mordiendo las uñas o tirando del pelo porque te gruñen las tripas.

Recuerda también que durante estos días, entre zumos y batidos, deberás hidratarte a base de agua e infusiones (es preferible evitar cualquier tipo de estimulante, así que no se tomará té). Para un efecto más depurativo, busca infusiones detox o que contengan algunas de estas hierbas depurativas y diuréticas: alcachofa, cardo mariano o diente de león.

Tómate estos tres días para limpiar tu agenda de compromisos, para bajar el ritmo acelerado de la rutina, para respirar profundo y desde el ombligo, para recuperar tus clases de yoga y practicar meditación (ni que sean cinco minutos) al despertarte o al acostarte. Regálate un masaje o un baño con sales Epson a la luz de unas velas. Escribe unas líneas en tu diario o empieza una nueva libreta y plasma en ella por qué te estás cuidando, cómo te estás sintiendo, cuáles son tus propósitos más allá de estos tres días, qué es lo que te acompañará o hará que estos sean posibles, qué quieres ver más en tu día a día, en tu vida, qué es lo que te hace feliz. Sueña, proyecta, escribe... porque amig@: «Todo es posible y todo está por hacer».

Así que...

¡¿Preparados?!

No, aún no. A continuación, tienes la lista de todos los ingredientes que vas a necesitar para preparar las bebidas durante los tres días. Puede que debas comprar unidades enteras de algunos alimentos de los que solo vas a usar una porción, pero no te preocupes, no se te van a estropear porque los seguirás usando después del reto. Lo dicho, ¡quedarás enganchado! Y seguirás preparando estos elixires verdes día tras día.

Ahora sí, al súper, al mercado, a la granja o a donde sea que compres tus frutas y verduras. Y siempre que sea posible, que sean ecológicas y locales.

Vegetales	Frutas	Otros	Opcionales
27 hojas de *kale* 1 ramo de apio 4 pepinos 1 col blanca 1 ramo de hinojo 5 zanahorias 3 remolachas tres puñados de espinacas un puñado de rúcula 1 lechuga un puñado de canónigos	5 manzanas 1 piña 1 pomelo 1 mango 4 plátanos 1 y ½ tazas de arándanos 1 taza de frambuesas 2 naranjas 2 peras 1 aguacate	5 hojas de menta 1 raíz de cúrcuma 1 raíz de jengibre perejil 1 l de agua de coco brotes de alfalfa 1 taza de nueces 1 taza de semillas de cáñamo 3 dátiles *tahini* extracto de vainilla canela en polvo leXe vegetal (almendra, arroz, cáñamo, *tahini*, avena)	clorela polen de abeja aloe vera semillas de chía bayas de goji hierba de trigo *nibs* de cacao camu-camu baobab

¡¿Listos?!

Aquí tienes la planificación de los menús, con las horas de las tomas recomendadas y el número de la página donde encontrarás las recetas.

¡A por ello!
Ahora sí, ¡un brindis y que aproveche!

Tres días para renovarte			
08.00	Zumo Green Me Up (p. 94)	Zumo Green Me Up (p. 94)	Zumo Green Me Up (p. 94)
10.30	Batido Awakening (p. 46)	Batido Green Glow (p. 30)	Batido Power C (p. 62)
14.00	Batido Green Recovery (p. 80)	Batido Rouge Performance (p. 74)	Batido Green Muscle (p. 78)
17.00	Zumo Happy Belly (p. 100)	Zumo Orange Morning (p. 104)	Zumo Digestive Cleanse (p. 92)
20.30	Batido Sweet Dreams (p. 84)	Batido Stress Buster (p. 88)	Batido Unplug (p. 86)

Anímate a compartir las fotos de tus recetas del reto batidos verdes etiquetándolas con @carlazaplana y #retobatidosverdescz, #batidosverdescz, #carlazaplana y #comelimpiocz.

Notas

- Puede que durante estos días tengas desajustes e irregularidades intestinales. Que vayas más o menos al baño, así de claro. Todo cambio de alimentación puede alterar este proceso, y un aumento de fibra y del efecto depurativo puede acelerar el proceso de expulsión.
- Quizás te aparezcan granitos de acné en la cara. Normal, pues por los poros de la piel también expulsamos residuos... Aplícate un tónico facial casero con un algodón antes de acostarte. Una idea de tónico facial: mezclar dos cucharadas de vinagre de manzana en una taza de agua.
- Puede que tu cuerpo te pida más descanso, ya que estará trabajando, y mucho, internamente. Dale lo que te pide, acuéstate más temprano y asegúrate de dormir tus buenas 7-8 horas.
- Mueve el cuerpo, pero sin forzar demasiado la «máquina». Hacer ejercicio estimulará la buena circulación de la sangre y, con ello, su depuración. Si durante estos días haces menos minutos o corres menos kilómetros, tranquilo, la próxima semana estarás aún más fuerte y valiente para doblar tus marcas.

Agradecimientos

Quiero empezar esta hoja en blanco mostrando mi gratitud a LA VIDA. La elaboración de cada libro que termino finaliza con un saco de experiencias y vivencias, cada cual más bonita o enriquecedora que la anterior...

En esta ocasión, quiero dar las gracias a mi nuevo hogar, un espacio donde por fin me siento recogida, protegida y muy, muy inspirada, rodeada de naturaleza, paz y armonía, lo que ya hacía tiempo que andaba buscando. Mi pequeña burbuja, Newburyport, ha jugado un papel clave en el desarrollo de este libro, el tercero que escribo.

Agradezco haber retomado mi práctica de meditación matutina, a la que no he faltado más de tres días desde que Massachusetts es mi nueva residencia. Empezar con este hábito todas las mañanas me ha ayudado a asentar mis raíces, a tranquilizar esta *monkey mind* incansable, a reencontrar más estabilidad en mí, y a despertar cada día más y más la creatividad necesaria para la escritura y la proyección de nuevos proyectos. *Thank you my practitioner!*

Quiero dar las gracias a Manny y a Cristina por haberme acogido una vez más con los brazos tan abiertos y el corazón tan latente. Y por estar ahí, aun sin habernos visto el pelo durante las semanas que he pasado inmersa en la escritura y en el laboratorio de recetas. ¡Os quiero!

Quiero dar las gracias a este tercer libro por lo que he disfrutado en su redacción. Porque cada párrafo que escribía me inspiraba para redactar dos más. Porque tras probar un batido buenísimo, el siguiente aún salía más delicioso. Y quiero darle las gracias de antemano por todo lo bueno que sé que me va a brindar y por las nuevas puertas que con ilusión abrirá.

Una vez más, quiero dar las gracias a Marta Lorés, de Zahorí de Ideas, por todo su trabajo y cariño. A Cossetània Edicions por seguir confiando en mi trabajo y a Silvia Rodríguez por las próximas aventuras que nos esperan. Y con una inmensa sonrisa en el rostro entro a formar parte de la familia de autores de Urano.

Pero a quien quiero darle LAS GRACIAS MÁS GRANDES DEL MUNDO, quien merece llevarse el batido más dulce y nutritivo del planeta, y a quien no quiero dejar de nutrir con momentos, respiros y suspiros es a ti. Sí, sí, a ti, quien por sorpresa lees esta página por primera vez, aunque hayas leído una y otra vez cada uno de los textos de este libro antes de ser publicado. A ti, por la paciencia en mis días de concentración y poco humor para nada más. Por hacer de conejito de indias de mis mezclas y elixires, por preparar la comida cuando tenía las manos en el teclado o la batidora, por ese ramo de tulipanes violeta, por los masajes en los pies para que pudiera desconectar y acostarme relajada, por aguantar mis locuras, y por bailar conmigo en el comedor en los arrebatos de «!Necesito un *break* ya!». Gracias por este reencuentro, por unir nuestras almas, unas almas que se conocen gemelas. Y por tu amor, simplemente GRACIAS, ALBERT.

Y a ti, ahora sí, a ti, lector, que sigues mi trabajo, que te cuidas, que tienes curiosidad y ganas de mejorar tu estado de salud, que quieres poner conciencia y tu granito de arena para que tu entorno, tu ciudad, el mundo, en definitiva, se encuentre y vea mejor. GRACIAS por confiar en mí y querer leer mis palabras. Sin duda, eres la pieza clave de mi motor para seguir divulgando y compartiendo salud.

Como siempre, termino la redacción del libro con la maleta en la mano, esta vez con destino a Costa Rica, para seguir creando, creciendo y alimentándome de la riqueza de este maravilloso mundo. Haber encontrado un hogar no me ata, sino todo lo contrario, me da una plataforma aún más estable desde donde coger impulso para volar más alto.

Nos vemos, te escribo, en el siguiente libro.

www.carlazaplana.com

1ª edición: Febrero 2017

Coordinación editorial: Zahorí de Ideas, S.L.
Texto: Carla Zaplana
Fotografías: María Ángeles Torres
Cocina: Isabel Torres
Estilismo: María Ángeles Torres e Isabel Torres
Diseño: Mot
Ilustraciones: Aina Bestard

Aribau, 142, pral. – 08036 Barcelona
www.edicionesurano.com

ISBN: 978-84-7953-982-5
E-ISBN: 978-84-16990-23-8
Depósito legal: B 1440-2017

Impreso en Eslovenia – *Printed in Slovenia*